Bébé
joue et apprend

Illustrations : Jack Lindstrom

DISTRIBUTEURS EXCLUSIFS :

- Pour le Canada et les États-Unis :
  MESSAGERIES ADP*
  955, rue Amherst
  Montréal, Québec H2L 3K4
  Tél. : (514) 523-1182
  Télécopieur : (450) 674-6237
  * Filiale de Sogides ltée

- Pour la France et les autres pays :
  INTERFORUM
  Immeuble Paryseine, 3, Allée de la Seine
  94854 Ivry Cedex
  Tél. : 01 49 59 11 89/91
  Télécopieur : 01 49 59 11 96
  Commandes : Tél. : 02 38 32 71 00
  Télécopieur : 02 38 32 71 28

- Pour la Suisse :
  INTERFORUM SUISSE
  Case postale 69 - 1701 Fribourg - Suisse
  Tél. : (41-26) 460-80-60
  Télécopieur : (41-26) 460-80-68
  Internet : www.havas.ch
  Email : office@havas.ch
  DISTRIBUTION : OLF SA
  Z.I. 3, Corminbœuf
  Case postale 1061
  CH-1701 FRIBOURG
  Commandes : Tél. : (41-26) 467-53-33
  Télécopieur : (41-26) 467-54-66
  Email : commande@ofl.ch

- Pour la Belgique et le Luxembourg :
  INTERFORUM BENELUX
  Boulevard de l'Europe 117
  B-1301 Wavre
  Tél. : (010) 42-03-20
  Télécopieur : (010) 41-20-24
  http://www.vups.be
  Email : info@vups.be

**Catalogage avant publication de
Bibliothèque et Archives Canada**

Warner, Penny
Bébé joue et apprend : 160 jeux et activités pour les
enfants de 0 à 3 ans
Traduction de : Baby Play & Learn

1. Nourrissons – Développement.   2. Jeu.
3. Jeux éducatifs.   4. Éducation des enfants.   I. Titre.

HQ774.W3614 2005   305.232   C2005-941117-1

Pour en savoir davantage sur nos publications,
visitez notre site : **www.edhomme.com**
Autres sites à visiter : www.edjour.com
www.edtypo.com ▪ www.edvlb.com
www.edhexagone.com ▪ www.edutilis.com

06-05

L'ouvrage original a été publié
par Meadowbrook Press
sous le titre *Baby Play & Learn*

Dépôt légal : 3e trimestre 2005
Bibliothèque nationale du Québec

ISBN 2-7619-2162-3

Gouvernement du Québec – Programme de crédit d'impôt pour
l'édition de livres – Gestion SODEC – www.sodec.gouv.qc.ca

L'Éditeur bénéficie du soutien de la Société de développement des entreprises culturelles du Québec pour son programme d'édition.

Nous reconnaissons l'aide financière du gouvernement du
Canada par l'entremise du Programme d'aide au développement
de l'industrie de l'édition (PADIÉ) pour nos activités d'édition.

Penny
Warner

Bébé
joue et apprend

160 jeux et activités pour les enfants de

0 à 3 ans

*Traduit de l'américain
par Louise Drolet*

 LES ÉDITIONS DE
L'HOMME

INTRODUCTION

Bienvenue à *Bébé joue et apprend*! Le plaisir et les jeux vont bientôt commencer. C'est au cours des trois premières années de sa vie que votre enfant grandit et se développe le plus rapidement sur les plans :

- *physique :* il exerce sa motricité fine et globale ;
- *cognitif :* il apprend à réfléchir et à résoudre des problèmes ;
- *verbal :* il apprend à communiquer et à écouter ;
- *psychologique :* il découvre son identité personnelle ;
- *social :* il apprend à entrer en relation avec les autres ;
- *émotionnel :* il apprend à exprimer ses émotions.

Votre bébé grandit, se transforme et apprend plus rapidement au cours de ses premières années qu'à tout autre moment, exception faite de la période prénatale. En lui offrant un environnement stimulant, vous pouvez, en tant que parent, professeur ou dispensateur de soins, aider le bébé à actualiser son potentiel pendant cette période critique de sa vie.

Voici trois principes qu'il est bon de garder en mémoire :

- votre bébé apprend surtout par le jeu ;
- vous êtes le meilleur jouet qui soit pour votre bébé ;
- amusez-vous avec votre bébé!

Comme vous êtes le meilleur jouet qui soit pour votre bébé, vous avez presque tout le matériel nécessaire sous la main : votre visage, vos mains et votre corps. Il ne vous manque plus que quelques idées stimulantes, un accessoire ou deux et du temps pour vous amuser.

Bébé joue et apprend propose 160 jeux et activités qui occuperont et amuseront votre bébé durant des heures. Chacun d'eux est fondé sur les recommandations d'un certain nombre de spécialistes du développement de l'enfant. Grâce aux nombreuses recherches effectuées dans le domaine de l'apprentissage et de la croissance des bébés, les experts ont découvert de multiples façons d'aider les enfants à actualiser leur potentiel... tout en s'amusant. Comme j'enseigne le développement de l'enfant depuis 20 ans, je sais à quel point les parents aiment jouer avec leurs tout-petits : tout ce qui leur manque, ce sont de nouvelles idées.

Tous les jeux et activités présentés ici comprennent :

- une indication claire du groupe d'âge visé ;
- une liste d'accessoires faciles à trouver ;

- des instructions détaillées ;
- des variantes propres à agrémenter le jeu et à stimuler l'apprentissage ;
- des mises en garde destinées à empêcher votre bébé de se blesser en jouant ;
- une liste des capacités que le jeu vise à développer chez votre bébé.

Voici quelques points importants à retenir lorsque vous jouez avec votre bébé.

- **Les bébés apprennent par leurs sens.** Offrez au vôtre des tas d'objets stimulants à regarder, à écouter, à goûter, à toucher et à sentir. N'oubliez pas que le meilleur jouet pour votre enfant est celui qui éveille ses cinq sens à la fois... vous-même !
- **Les bébés sont stimulés par la variété.** Cela ne signifie pas que vous deviez acheter des centaines de jouets à votre bébé. Offrez-lui plutôt une variété de jouets susceptibles de l'aider à se développer et accordez-lui amplement de temps pour jouer. Rappelez-vous que la simplicité vaut son pesant d'or. Plus un jouet est simple, plus le jeu sera complexe.
- **Les bébés apprennent en imitant.** Les bébés aiment faire comme tout le monde. Jouez d'abord et votre bébé apprendra en vous regardant. Multipliez les jeux de physionomie et les signaux corporels pendant que vous démontrez le jeu, l'activité ou le jouet. Mieux encore, laissez un enfant plus âgé servir de modèle de rôle à votre bébé. Les tout-petits adorent jouer avec d'autres enfants.

- **Les bébés apprennent en jouant de diverses manières.** Les jeux et activités aident votre bébé à comprendre ses sentiments, ses peurs et son univers. Les tout-petits aiment jouer :
  — *seuls,* car ils peuvent suivre leur propre rythme, résoudre leurs problèmes à leur façon et opérer leurs propres choix ;
  — *avec d'autres,* car ils peuvent observer d'autres types de jeu, apprendre de nouveaux modes d'exploration et acquérir des comportements sociaux positifs ;
  — *tranquillement* avec leurs doigts, leurs orteils, leurs livres, leurs instruments de musique, leurs marionnettes de doigt et les mots ;
  — *activement* en se servant de leurs bras et de leurs jambes pour bouger, lancer, sauter et danser ;
  — *à faire semblant* et se transformer en monstres, en chiots, en momies, en papas, en superhéros et en personnages de bandes dessinées. Une variante de ces jeux consiste à reproduire la vie à la maison, à la garderie ou à la maternelle, les visites à l'hôpital, les fêtes d'anniversaire, les vacances et même les funérailles.
- **Les bébés apprennent par la répétition.** Les tout-petits adorent reprendre les mêmes jeux encore et encore. Commencez par une activité simple et amusante, puis augmentez sa complexité à mesure que votre bébé devient plus habile à traiter l'information, à se servir de son corps et à entrer en relation avec les autres. Le mot

préféré de votre bébé sera bientôt «Encore!».

- **Les bébés se développent en faisant des expériences.** Même si les bébés apprennent à jouer en observant les autres, ils ne se contenteront pas longtemps du rôle d'observateur. Votre bébé veut jouer un rôle actif. Faites-le participer à ce qui se passe autour de lui chaque fois que c'est possible. Un bébé n'est jamais trop jeune pour commencer à jouer et à apprendre. Donnez une chance au vôtre et ne lui offrez votre aide qu'en cas d'absolue nécessité.

- **Les bébés développent leur intelligence en cherchant des solutions à leurs problèmes.** Donnez à votre bébé des tâches simples à résoudre et augmentez leur difficulté à mesure qu'il grandit. Les problèmes doivent être assez faciles à régler pour qu'il ne se décourage pas, tout en étant assez complexes pour le captiver et l'amuser. Aidez-le à progresser par petites étapes jusqu'à la solution finale.

- **Les bébés apprennent par le langage.** Parlez à votre bébé tout en jouant et expliquez-lui ce que vous faites et pourquoi. Les bébés adorent les jeux de langage et comprennent souvent plus qu'on ne le croit. C'est donc une bonne habitude à prendre que de lui expliquer le but ou la marche à suivre d'un jeu ou d'une activité, ou le fonctionnement d'un jouet, et d'intégrer le langage à vos divertissements.

- **Les bébés avancent à leur propre rythme.** Donnez au vôtre beaucoup de temps pour jouer et ne le noyez pas sous un flux de nouvelles possibilités. Évitez de le pousser pour qu'il se développe plus vite s'il n'est pas prêt. Observez-le pendant qu'il joue afin de vous familiariser avec son rythme, puis tenez-vous prêt à lui présenter de nouvelles difficultés au besoin.

- **Les bébés sont compétents quand ils sont sûrs d'eux.** Ne ménagez pas vos éloges et vos encouragements et préparez votre bébé à réussir plutôt qu'à échouer. Aidez-le à trouver de nouvelles manières de jouer, de résoudre ses problèmes, d'explorer et d'apprendre. Et amusez-vous!

Avant tout, votre bébé veut jouer avec vous. Ce qu'il apprend par le jeu vient en prime. Aussi, tournez la page et faites place aux jeux! C'est le moment de vous amuser!

DE LA NAISSANCE À 3 MOIS

Autrefois, les spécialistes étaient persuadés que les bébés naissants étaient tout à fait impuissants et ne pouvaient ni voir, ni entendre, ni penser. Or, les recherches ont démontré que le bébé voit, entend et même qu'il commence à apprendre bien avant de naître; en effet, la période utérine est celle pendant laquelle votre bébé se développe le plus rapidement.

Au cours des trois premiers mois de sa vie, votre bébé traverse une deuxième période de développement accéléré qui se produit sur plusieurs plans : fonction cognitive ou capacité de raisonner, croissance physique et motricité, et développement de la personnalité, qui englobe l'expression émotionnelle, la conscience de soi et les aptitudes sociales. Si vous voulez que votre bébé tire le meilleur parti possible de cette période fascinante de sa vie, commencez dès sa naissance à stimuler son développement dans tous les domaines.

Votre bébé commence dès la naissance à cultiver ses facultés cognitives en s'efforçant de comprendre son entourage et son nouvel univers. Bien qu'en moyenne les bébés assimilent le langage pendant un an avant de prononcer leur premier mot, au moment où ils le font, ils possèdent déjà un vocabulaire de 50 mots. La roue ne cesse de tourner tandis que votre bébé réalise d'importants progrès sur le plan cognitif. En moins de deux, il pourra résoudre ses problèmes, poser des questions impossibles et saura comment s'y prendre pour obtenir ce qu'il veut. La section qui suit comprend un grand nombre de jeux susceptibles de stimuler le développement cognitif de votre bébé.

Dès que votre bébé commence à se développer physiquement, vous observerez des changements sur le plan de la motricité depuis ses premières tentatives de coordination visuo-motrice (se traduisant par des moulinets désordonnés dans les airs) jusqu'au moment où il pourra marcher, courir, grimper et même skier! Ses progrès sont minimes et pratiquement invisibles, mais vous et votre bébé pourrez vous exercer grâce aux jeux variés et amusants proposés dans cette section-ci.

Dès le moment où il établit son premier contact visuel, les aptitudes psychologiques et sociales de votre bébé évoluent rapidement. Il apprend à exprimer ses émotions, à nouer des relations et à comprendre son unicité. Le jeu contribue à développer ces aptitudes et favorise une croissance équilibrée sur les plans psychologique, social et émotionnel.

Alors n'attendez plus! Profitez de chaque moment de ces trois premiers mois. Votre bébé grandit à vue d'œil!

Disparu !

Comme votre bébé est nouveau sur cette planète, il passe le plus clair de son temps à essayer de comprendre son environnement. Aidez-le donc en jouant à Disparu!

Matériel

- Jouets souples et colorés
- Boîte ou seau
- Couverture, serviette ou pièce d'étoffe

Types d'apprentissage

- Anticipation
- Cognition et réflexion
- Permanence et stabilité de l'objet

Marche à suivre

1. Rassemblez plusieurs jouets souples et colorés, et cachez-les dans une boîte ou un seau.
2. Mettez votre bébé dans son siège et asseyez-vous en face de lui.
3. Sortez un jouet de la boîte et montrez-le au bébé. Tenez le jouet près de votre visage et parlez au bébé afin d'attirer son attention.
4. Pendant qu'il vous regarde, couvrez le jouet avec un morceau de tissu.
5. Dites: «Disparu!»
6. Attendez quelques secondes, puis découvrez le jouet en annonçant joyeusement: «Le voici!»
7. Recommencez avec différents jouets.

Variante

Après avoir dissimulé le jouet sous une pièce d'étoffe à plusieurs reprises, cachez-le et surveillez la réaction de votre bébé tandis qu'il tente de comprendre ce qui s'est passé. Puis, faites réapparaître le jouet. Variez les cachettes pour retenir son attention.

Mise en garde

Si votre bébé est contrarié par la disparition du jouet, cachez-le lentement pour qu'il voie ce que vous faites. Ne laissez pas le jouet couvert trop longtemps.

Bébé roule

Tout le monde a besoin d'exercice, même votre nouveau-né! Le jeu qui suit activera la circulation de votre bébé, assouplira ses muscles, augmentera sa flexibilité et lui apprendra à maîtriser ses mouvements tout en l'amusant.

Types d'apprentissage

- Motricité et flexibilité
- Relations spatiales
- Confiance

Matériel

- Un gros ballon d'environ 60 à 90 cm de diamètre (vous le trouverez dans un magasin de jouets, d'articles de sport ou de fournitures scolaires)
- Vaste surface de plancher recouverte

Marche à suivre

1. Déshabillez votre bébé en lui laissant uniquement sa couche afin qu'il puisse s'agripper au ballon sans glisser.
2. Placez un ballon au milieu d'une pièce où il y a un tapis.
3. Asseyez-vous par terre devant le ballon et placez le bébé debout en face de vous de l'autre côté du ballon. Tenez ses bras pour l'aider à conserver son équilibre.
4. Hissez le bébé sur le ballon en le tenant bien pour l'empêcher de glisser ou de tomber.
5. Faites-le aller et venir doucement en roulant le ballon.
6. Faites des expériences et essayez différents exercices.

Variante

Dégonflez légèrement le ballon.

Mise en garde

Tenez bien votre bébé pour l'empêcher de tomber ou de rouler en bas du ballon. Faites des mouvements lents pour qu'il continue d'avoir confiance en vous.

Douces caresses

Votre bébé réagit au toucher dès sa naissance. Le premier accueil qu'il reçoit est le réconfort tactile de vos bras. Donnez-lui un massage, il se délectera de vos douces caresses.

Matériel

- Couverture ou serviette
- Lotion pour bébé

Marche à suivre

1. Étendez une couverture ou une serviette sur un tapis moelleux.
2. Couchez-y votre bébé sur le ventre après lui avoir retiré tous ses vêtements.
3. Versez un peu de lotion pour bébé dans vos mains et frottez-les l'une contre l'autre pour la réchauffer.
4. Massez doucement le bébé en commençant par le cou et les épaules. Massez ensuite ses bras et ses mains, son dos et ses fesses, puis ses jambes et ses pieds. Votre pression ne doit être ni trop ferme ni trop légère.
5. Tournez le bébé sur le dos et recommencez en reprenant de la lotion.

Types d'apprentissage

- Conscience du corps
- Développement du sens du toucher
- Interaction sociale

Variante

Massez les pieds ou les mains de votre bébé quand vous le changez de couche, le baignez ou l'emmenez au parc ; vous n'avez alors pas besoin de lotion.

Mise en garde

Faites des mouvements doux afin de ne pas brûler la peau du bébé au contact du tapis ! Assurez-vous qu'il n'est pas allergique à l'huile ou à la lotion que vous utilisez. Ne touchez pas son visage pour ne pas lui mettre de l'huile dans les yeux.

Bain moussant

La plupart des enfants adorent l'heure du bain même si certains ne semblent pas aimer l'eau. Peu importe la réaction de votre bébé, vous pouvez rendre les jeux d'eau encore plus amusants en versant quelques gouttes de bain moussant dans la baignoire.

Matériel

- Gant de toilette doux
- Baignoire de bébé en plastique
- Bain moussant pour bébé
- Serviette

Types d'apprentissage

- Conscience du corps
- Acquisition du langage
- Capacité d'écouter
- Stimulation sensorielle

Marche à suivre

1. Placez un gant de toilette au fond de la baignoire pour empêcher votre bébé de glisser.
2. Remplissez la baignoire d'eau chaude et versez-y une petite quantité de bain moussant pour bébé.
3. Mettez le bébé dans l'eau tout en le tenant bien afin qu'il se sente en sécurité.
4. Mettez-le en position assise afin qu'il puisse barboter et s'amuser avec les bulles sans danger.
5. Lavez le bébé tout en chantant :

Voici comment nous nous lavons la figure,
lavons la figure, lavons la figure.
Voici comment nous nous lavons la figure,
Bébé (dites son nom) et maman.

Reprenez la chanson avec «décrassons notre cou», «frottons notre poitrine», «décrottons notre dos», «astiquons nos bras», «savonnons nos jambes», «soignons nos orteils» et ainsi de suite.

Variante

Entrez dans la baignoire avec votre bébé et lavez-vous ensemble. Mettez quelques jouets dans la baignoire ou utilisez un gant de toilette ayant la forme d'un animal ou d'une marionnette.

Mise en garde

Si vous voulez que votre bébé aime se baigner, respectez les deux principes ci-dessous.

- Assurez-vous qu'il se sent en sécurité : ne le laissez pas glisser et maintenez sa tête hors de l'eau.
- Surveillez la température de l'eau : elle ne doit être ni trop chaude ni trop froide.

L'abeille bourdonne

Dès sa naissance, votre bébé apprend grâce à tous ses sens. Le jeu qui suit développera sa capacité de repérer les sons, ce qui l'aidera à contrôler les mouvements de sa tête et de son corps en général.

Matériel

- Couverture moelleuse
- Votre bouche
- Votre doigt

Marche à suivre

1. Couchez votre bébé sur le dos, sur une couverture moelleuse.
2. Asseyez-vous près de lui de manière qu'il vous entende bien.
3. Imitez le bourdonnement d'une abeille tout en approchant votre doigt de son corps.
4. Après quelques secondes, touchez-le du doigt en disant: «L'abeille bourdonne!»
5. Recommencez en faisant atterrir l'abeille sur différentes parties de son corps.

Types d'apprentissage

- Maîtrise des mouvements de la tête et du cou
- Localisation des sons et du toucher
- Motricité
- Interaction sociale

Variante

Suivez de la tête la trajectoire de votre doigt pour aider votre bébé à localiser le son. Variez la hauteur de votre bourdonnement pour attirer son attention. Tournez le bébé sur le ventre et poursuivez le jeu. Il ne verra pas votre doigt et devra attendre d'être surpris par l'abeille qui bourdonne.

Mise en garde

Touchez votre bébé doucement et ne bourdonnez pas trop fort. S'il sursaute, ralentissez le jeu.

"BiZZZZ"

Menton rond

Le visage est un bon endroit où commencer pour enseigner à votre bébé le nom des différentes parties du corps. Jouez à Menton rond pour l'aider à distinguer son nez de sa bouche et de ses yeux.

Matériel

- Le visage de votre bébé
- Votre doigt

Marche à suivre

1. Asseyez votre bébé sur vos genoux.
2. Chantez ou récitez la comptine ci-dessous tout en effleurant de l'index les différentes parties du visage de votre bébé.

> *Menton rond,*   *joue bouillie,*
> *bouche d'ivoire,*   *petit œillot,*
> *nez cancan,*   *grand œillot,*
> *joue rôtie,*   *toc, toc, mailloc!*

3. Recommencez à plusieurs reprises.

Types d'apprentissage

- Reconnaissance des traits du visage
- Plaisir sensoriel : le toucher
- Interaction sociale
- Initiation à différentes parties du corps

Je fais le tour de mon jardin. (Dessinez un cercle autour de la tête du bébé.)

– *Bonjour papa,* (Touchez sa paupière droite.)

bonjour maman. (Touchez sa paupière gauche.)

Je descends l'escalier, (Glissez votre doigt le long de son nez.)

je sonne à la porte : dring! (Appuyez sur le bout de son nez.)

J'essuie mes pieds (Effleurez sa lèvre supérieure.)

et j'entre! (Glissez le bout de votre doigt dans sa bouche.)

Variante

Après avoir joué à «Menton rond» à quelques reprises, essayez «Je fais le tour de mon jardin».

Mise en garde

Effleurez doucement le visage de votre bébé, sinon il n'appréciera pas le jeu.

Main joyeuse

Dès sa naissance, votre bébé préfère la vue d'un visage humain à celle de tout autre objet. Quelque chose dans les yeux, le nez et la bouche le captive, et le jeu qui suit joue sur cette fascination.

Matériel

- Gant de tricot
- Ciseaux
- Votre main
- Crayons feutres de couleurs variées

Marche à suivre

1. Coupez les doigts d'un gant de tricot.
2. Avec les crayons feutres, dessinez un visage au milieu de la paume. Tracez une grande bouche et de grands yeux vivants et colorés.
3. Enfilez le gant.
4. Prenez votre bébé sur vos genoux et tournez le masque vers lui.
5. Remuez les doigts et bougez le masque lentement pour permettre au bébé d'apprécier son nouvel ami, qui peut chanter, raconter des histoires ou simplement bavarder.

Types d'apprentissage

- Capacité de se concentrer
- Reconnaissance des visages
- Interaction sociale

Variante

Fabriquez un masque en trois dimensions. Cousez ou collez au pistolet des yeux sur la paume du gant, une bouche en feutre rouge et un pompon en guise de nez au centre.

Mise en garde

Si votre bébé réussit à s'emparer du masque, il le portera sans doute aussitôt à sa bouche. Aussi, assurez-vous que les yeux, la bouche et le nez sont solidement fixés.

Petons musicaux

Votre bébé apprend à maîtriser ses bras et ses jambes dès sa naissance, mais ses réflexes et son manque de coordination semblent nuire à cet apprentissage. Aidez-le à exercer sa motricité grâce au jeu qui suit.

Matériel

- Petits chaussons colorés
- Clochettes, grelots ou petits jouets mous et colorés
- Fil et aiguille
- Couverture moelleuse
- Pieds du bébé

Types d'apprentissage

- Coordination visuelle-manuelle et visuo-motrice
- Motricité
- Résolution de problèmes
- Poursuite visuelle

Marche à suivre

1. Achetez des petits chaussons particulièrement colorés : choisissez de préférence les couleurs primaires (rouge, bleu et jaune) ou celles de l'arc-en-ciel.
2. Cousez solidement des clochettes, des grelots ou de petits jouets mous et colorés sur le dessus des chaussons.
3. Couchez votre bébé sur le dos, sur une couverture moelleuse et mettez-lui les chaussons.
4. Observez-le pendant qu'il s'amuse avec ses petons musicaux.

Variante

Fixez des grelots ou de menus jouets sur de petites mitaines plutôt que sur des chaussons et passez-les aux mains de votre bébé.

Mise en garde

Fixez tous les objets solidement sur les chaussons ou les mitaines et vérifiez régulièrement leur solidité. Évitez tous les objets pointus qui pourraient blesser votre bébé s'il les portait à sa bouche. Ne quittez pas le bébé des yeux.

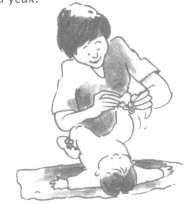

Gant-Monseigneur

Votre bébé adore les surprises, du moment qu'elles le font rire et ne l'effraient pas. Jouez au jeu passionnant que constitue le Gant-Monseigneur!

Matériel

- Gant de jardinage souple
- Petits animaux mous en peluche de la même taille que le gant
- Fil et aiguille
- Couverture moelleuse ou siège de bébé

Marche à suivre

1. Cousez un petit jouet mou sur le dessus du gant afin qu'il se trouve assis sur le dos de votre main quand vous enfilez le gant.
2. Couchez votre bébé sur le dos, sur une couverture douce ou asseyez-le dans son siège.
3. Enfilez le gant.
4. Déplacez votre main en remuant les doigts afin que le bébé puisse voir l'animal qui se trouve sur le dessus.
5. Faites des bruits d'animaux tout en remuant le gant afin d'attirer son attention.

Types d'apprentissage

- Anticipation
- Expression émotionnelle
- Interaction sociale
- Confiance

Variante

Fabriquez un gant pour chaque main. Cousez des bandes velcro sur le gant et sur plusieurs animaux en peluche. Vous pourrez ainsi changer les animaux de temps en temps pour que le jeu demeure captivant.

Mise en garde

Si votre bébé a peur, ralentissez vos mouvements et parlez doucement. Gardez le sourire en jouant.

"ATTRAPÉ!"

Jeux de mains

On ne développe pas sa coordination visuelle-manuelle du jour au lendemain, mais si vous observez attentivement votre bébé, vous remarquerez ses premières tentatives pour maîtriser ses menottes. Les jeux de doigts peuvent l'aider à développer ses capacités motrices.

Types d'apprentissage

- Coordination visuelle-manuelle
- Motricité
- Interaction sociale

Matériel

- Couverture moelleuse ou siège de bébé
- Jeux de doigts, chansons et comptines
- Vos mains et celles du bébé

Marche à suivre

1. Couchez votre bébé sur une couverture moelleuse ou installez-le dans son siège et asseyez-vous tout près de lui de manière qu'il vous voie.
2. Chantez des chansons ou des comptines tout en jouant avec ses mains et ses doigts. Essayez l'un des jeux ci-dessous.

Tape, tape, petites mains

Tape, tape, petites mains
(Frappez dans les mains du bébé.)
Tourne, tourne, petit moulin.
(Faites des moulinets avec vos mains.)

Variante

Reprenez les mêmes jeux avec les pieds du bébé et utilisez son nom s'il y a lieu.

Ainsi font, font, font

Ainsi font, font, font,
Les petites marionnettes. (Mains en l'air, faites pivoter vos poignets.)
Ainsi font, font, font,
Trois petits tours et puis s'en vont. (Cachez vos mains derrière votre dos.)

Main morte

Main morte,
frappe à la porte! (Prenez le poignet du bébé et secouez doucement sa main.)
un p'tit coup pour aller,
un p'tit coup pour venir, (Tapotez-lui doucement le nez, les joues ou le front.)
et un grand coup pour s'en souvenir! (Donnez un petit coup sur chaque joue et sur le front.)

Mise en garde

Tenez et agitez doucement les mains de votre bébé en jouant.

Jeux de pieds

Ses pieds sont l'un des jouets préférés de votre bébé. Ils sont doux, ils bougent et sont toujours à la portée de ses mains. Jouez à des jeux de pieds tout en chantant des comptines à votre bébé et en lui touchant les orteils.

Matériel

- Couverture douce
- Chansons et comptines
- Vos doigts et les orteils de votre bébé

Marche à suivre

1. Choisissez une comptine que vous pouvez chanter ou réciter tout en jouant avec les pieds et les orteils de votre bébé.
2. Couchez votre bébé sur une couverture et agenouillez-vous près de lui de manière à pouvoir lui toucher les pieds.
3. Récitez-lui une des comptines ci-dessous.

Celui-ci va à la chasse

Celui-ci va à la chasse, (Remuez le gros orteil.)
celui-ci tue les bécasses, (Remuez le deuxième orteil.)
celui-ci les plume, (Remuez le troisième orteil.)
celui-ci les fricasse, (Remuez le quatrième orteil.)
et le petit mange tout, tout, tout, tout, tout! (Faites semblant de dévorer tout le pied du bébé.)

Types d'apprentissage

- Conscience du corps
- Jouissance sensorielle
- Acquisition du langage
- Motricité
- Interaction sociale

Dans un petit jardin

Dans un petit jardin,
tout rond, tout rond, tout rond,
il y a des poireaux, (Remuez le gros orteil.)
des carottes, (Remuez le deuxième orteil.)
des radis, (Remuez le troisième orteil.)
des tomates, (Remuez le quatrième orteil.)
et une petite rivière
qui coule, qui coule, qui coule! (Chatouillez la plante des pieds du bébé.)

Variante

Jouez avec les mains du bébé plutôt que ses pieds.

Mise en garde

Évitez de trop chatouiller votre bébé. Vous le savez, les chatouillements excessifs sont inconfortables.

Miroir magique

De prime abord, votre bébé éprouvera de la curiosité à l'égard de l'étranger qui apparaît soudain devant ses yeux, mais à la longue, il adorera se regarder dans cet objet fascinant qu'on appelle un miroir.

Matériel

- Miroir portatif pleine longueur, si possible
- Accessoires tels que chapeaux, pièces d'étoffe, poupées

Marche à suivre

1. Appuyez un miroir pleine longueur contre un mur.
2. Prenez votre bébé sur vos genoux et asseyez-vous tout près du miroir.
3. Laissez le bébé toucher le miroir et examiner ses caractéristiques.
4. Agitez la main devant le miroir, faites des mimiques, touchez-le, tournez la tête et ainsi de suite.
5. Utilisez des accessoires : coiffez votre tête ou celle du bébé d'un chapeau, couvrez la tête du bébé d'une pièce d'étoffe ou montrez-lui une poupée.
6. Finissez le jeu en désignant toutes les parties du corps du bébé dans le miroir.

Types d'apprentissage

- Meilleure estime de soi
- Connaissance des parties du corps
- Reconnaissance de sa propre image
- Compréhension de l'environnement

Variante

Placez une glace incassable ou sans tain sur une couverture étendue sur le sol et déposez le bébé dessus. Laissez-le s'amuser à contempler l'image qui lui apparaît quand il lève la tête, les mains et les jambes. Jetez un coup d'œil dans le miroir pour que votre bébé vous voie aussi.

Mise en garde

Assurez-vous que le miroir est solidement appuyé contre le mur et qu'il ne risque pas de tomber sur votre bébé. Dans la mesure du possible, utilisez une glace sans tain incassable.

Bouche musicale

Vous ignoriez sans doute que votre bouche était une véritable boîte à musique. Votre bébé adore entendre toutes sortes de bruits et votre bouche est l'instrument idéal pour créer une parfaite symphonie.

Matériel

- Votre bouche, votre langue, vos dents et vos lèvres

Marche à suivre

1. Asseyez votre bébé sur vos genoux de sorte qu'il voie bien votre visage.
2. Produisez divers bruits avec votre bouche :
   - Bruits de baisers.
   - Claquements de langue.
   - Bruits de pet.
   - Ronronnement d'un moteur (avec les lèvres).
   - Grognements, cris perçants, glousse-ments, roucoulements.
   - Sifflements, fredonnements, chuchote-ments.
   - Cris d'animaux : canard, chien, chat, che-val, vache, cochon, poulet, coq, singe, serpent, oiseau, âne, loup.

Types d'apprentissage

- Discrimination sonore
- Imitation des sons et acquisition du langage
- Localisation des sons

Variante

Améliorez votre musique grâce à quelques accessoires : mirliton, harmonica, trompette jouet ou mégaphone maison (fabriqué à par-tir d'un rouleau de papier de toilette).

Mise en garde

Si vous utilisez des instruments, assurez-vous qu'ils sont sans danger pour le bébé. Ne criez pas trop fort pour ne pas endommager son ouïe. Si un bruit le perturbe, ne le répétez pas.

Intermède musical

Même si votre bébé entend déjà dans l'utérus, les sons qui lui parviennent sont étouffés et distants. Après sa naissance, ils provoquent en lui une mystérieuse fascination. Voici un jeu susceptible d'améliorer sa capacité d'écouter.

Matériel

- Magnétophone portable et cassettes vierges
- Divers sons
- Couverture moelleuse ou siège de bébé

Marche à suivre

1. Au moyen d'un magnétophone, enregistrez une variété de sons pendant plusieurs minutes. Trouvez des bruits familiers : jappements du chien, papa rentrant du travail, sonnette de la porte d'entrée, sonnerie du téléphone, boîte à musique et autres jouets sonores. Enregistrez aussi des sons inhabituels : messages publicitaires, bruits de vaisselle, cris d'animaux, musique et bruits de bouche.
2. Couchez bébé sur une couverture ou mettez-le dans son siège. Assurez-vous que les bruits environnants sont réduits au minimum.
3. Mettez le magnétophone en marche et faites jouer votre enregistrement.

Types d'apprentissage

- Discrimination auditive
- Identification des sons
- Localisation des sons

Variante

Enregistrez des voix. Commencez par la vôtre : récitez une comptine ou chantez une chanson. Puis ajoutez d'autres voix familières : celle de papa, d'un petit frère ou d'une petite sœur, de parents et d'amis. Enregistrez aussi quelques voix inconnues ou déguisez votre voix de temps en temps pour varier.

Mise en garde

Si les sons semblent effrayer votre bébé, baissez le volume du magnétophone et rassurez-le en produisant les sons avec votre bouche.

Coucou !

Ce jeu tout simple est riche d'enseignements pour votre bébé. Il le familiarisera entre autres avec le concept de la permanence de l'objet lorsqu'il vous verra disparaître et réapparaître.

Matériel

- Votre visage
- Mouchoir, gant de toilette ou petit morceau de tissu

Types d'apprentissage

- Anticipation
- Cause et effet
- Cognition et réflexion
- Expression émotionnelle
- Permanence de l'objet
- Interaction sociale

Marche à suivre

1. Asseyez votre bébé sur vos genoux en face de vous.
2. Parlez, souriez ou faites des grimaces pour attirer son attention.
3. Lorsque vous aurez capté son attention, couvrez-vous la tête avec un mouchoir.
4. Attendez quelques secondes, retirez le mouchoir, puis dites «Coucou!» avec un grand sourire.
5. Recommencez plusieurs fois.

Variante

Au lieu de vous couvrir le visage, couvrez celui du bébé. Attendez quelques secondes, puis retirez le mouchoir en disant «Coucou!» ou laissez votre bébé l'enlever lui-même. Vous pouvez aussi dissimuler une poupée sous le mouchoir et vous amuser ensemble. Pour rendre le jeu plus complexe, jouez devant un miroir afin que votre bébé voie plusieurs visages.

Mise en garde

Utilisez une étoffe légère si vous couvrez la tête du bébé pour ne pas l'effrayer ni l'empêcher de respirer et ne la laissez pas trop longtemps sur son visage. Recommencez le jeu encore et encore, mais évitez de le modifier sans arrêt, car cela risque de dérouter votre bébé. Attendez qu'il ait grandi et en saisisse les principes de base.

Étoiles filantes

Au cours des premiers mois de sa vie, votre bébé prend plaisir à observer son univers. Les lumières, les couleurs et le mouvement lui procurent des heures de plaisir sensoriel. C'est le moment idéal pour lui montrer le jeu passionnant qui suit.

Matériel

- Couverture douce
- Pompons colorés de différentes tailles
- Chaise

Marche à suivre

1. Couchez votre bébé sur le dos, sur une couverture moelleuse.
2. Placez une chaise près de lui de manière à pouvoir vous incliner vers lui tout en restant assis.
3. Tenez un gros pompon au-dessus de son ventre et attirez son attention en lui parlant.
4. Dès que vous avez attiré son attention, dites «Voici l'étoile filante» et laissez tomber le pompon sur son ventre.
5. Souriez au bébé pour qu'il sache que vous vous amusez.
6. Recommencez le jeu en laissant tomber un pompon plus petit sur le ventre du bébé.

Types d'apprentissage

- Anticipation
- Coordination visuelle-manuelle
- Interaction sociale
- Acuité et poursuite visuelles

Variante

Remplacez les pompons par des objets légers et colorés : jouets en éponge (secs), plumes, boulettes de papier, petits morceaux d'étoffe, petits jouets mous…

Mise en garde

Utilisez uniquement des objets légers et souples afin de ne pas blesser votre bébé. Si le jeu l'effraie, ne laissez pas tomber les objets, mais abaissez-les lentement vers son ventre, jamais vers son visage. Gardez le sourire pour lui inculquer le sens du plaisir.

Autocollant facial

Les aptitudes visuelles de votre bébé sont étonnamment développées dès sa naissance. En effet, il peut dès ce moment établir un contact oculaire et déjà, à trois mois, il adore les couleurs lumineuses, les contrastes marqués et les surprises visuelles.

Types d'apprentissage

- Coordination visuelle-manuelle
- Concentration visuelle
- Localisation visuelle des objets

Matériel

- Votre visage
- Autocollants de couleurs vives

Marche à suivre

1. Asseyez-vous dans un fauteuil confortable et relevez les genoux. Prenez votre bébé sur vos genoux en face de vous et soutenez sa tête et son corps avec vos jambes.
2. Laissez-le regarder votre visage quelques instants tout en lui parlant et en faisant des mimiques drôles.
3. Placez un autocollant coloré sur votre joue, votre front, votre menton ou votre nez et observez sa réaction.
4. Après quelques instants, posez l'autocollant sur une autre partie de votre visage et observez la réaction du bébé en le découvrant.
5. Pour rire, placez un autocollant sur votre langue, puis tirez-la et montrez-le au bébé. (Prenez garde de l'avaler!)
6. Posez des autocollants sur vos paupières, puis fermez les yeux pour que le bébé les voie.
7. Collez-en sur vos joues, couvrez-les de vos mains, puis découvrez-les en criant: «Coucou!»

Variante

Mettez des autocollants sur les deux côtés des mains du bébé et observez sa réaction à la vue des taches de couleur. Voyez s'il tourne les mains pour les trouver. C'est le début de la conscience de soi.

Mise en garde

Empêchez votre bébé de mettre les autocollants dans sa bouche et de les avaler.

Tournis-tournant

Votre bébé mettra des mois à maîtriser les mouvements de son corps, mais vous pouvez l'aider pendant les premières semaines en jouant à Tournis-tournant. Dès l'âge de quatre mois, votre bébé pourra se retourner.

Types d'apprentissage

- Orientation
- Locomotion
- Motricité

Matériel

- Couverture ou serviette moelleuse
- Surface de plancher douce

Marche à suivre

1. Étendez une couverture ou une serviette moelleuse sur une surface douce.
2. Couchez-y votre bébé sur le ventre.
3. Soulevez lentement un pan de la couverture : votre bébé roulera sur le côté.
4. Continuez de le faire rouler tout en lui parlant et en guidant son mouvement avec la main.
5. Une fois votre bébé retourné, applaudissez chaleureusement.
6. Recommencez jusqu'à ce qu'il se lasse du jeu.

Variante

Servez-vous de vos mains plutôt que d'une couverture ou d'une serviette. Essayez de glisser un bras sous votre bébé pour qu'il se retourne plus facilement.

Mise en garde

Faites des mouvements lents et gardez une main sur votre bébé pour l'empêcher de rouler trop vite et de se blesser. Faites toujours ce jeu par terre.

Chatouillis sonores

Votre bébé commence à assimiler le langage bien avant de prononcer ses premiers mots. Parlez-lui et transformez le langage en une expérience sensorielle grâce au jeu qui suit.

Matériel

- Votre bouche
- Couverture douce

Types d'apprentissage

- Conscience du corps
- Acquisition du langage
- Exploration sensori-motrice
- Interaction sociale

Marche à suivre

1. Déshabillez votre bébé (laissez-lui sa couche si vous le voulez) et couchez-le sur le dos, sur une couverture.
2. Agenouillez-vous près de lui et parlez-lui quelques instants en lui caressant doucement le ventre.
3. Pressez votre visage et vos lèvres contre son ventre et parlez, chantez, récitez une comptine ou prononcez simplement des mots amusants. Variez la hauteur et la force de votre voix.
4. Ponctuez chaque séance de chatouillis et de quelques baisers.
5. Redressez-vous et souriez à votre bébé entre chacune d'elles. Il devrait glousser et attendre impatiemment les prochains chatouillements.

Variante

Au lieu de parler, faites des bruits avec votre bouche contre le ventre du bébé : prout, ronronnements, cliquetis, pfft, soufflements, claquements de langue, etc.

Mise en garde

Ne parlez pas trop fort pour ne pas faire sursauter votre bébé. S'il est entièrement nu, placez une couche à portée de la main pour parer à toute éventualité!

Ver gigotant

Lorsque votre bébé pousse avec ses pieds contre une surface solide, il étire les muscles de ses jambes. C'est ce qu'on appelle le «réflexe de la marche automatique». Profitez de ce réflexe pour apprendre à votre bébé à marcher à quatre pattes.

Types d'apprentissage

- Cause et effet
- Motricité
- Préparation à ramper

Matériel

- Surface de plancher douce et non glissante
- Jouet coloré

Marche à suivre

1. Couchez votre bébé sur le ventre sur une surface douce.
2. Placez un jouet coloré à quelques centimètres de sa tête et attirez son attention sur cet objet.
3. Asseyez-vous derrière votre bébé et pressez vos jambes ou vos mains contre ses pieds. Il poussera contre vos mains, ce qui le propulsera de quelques centimètres vers le jouet.
4. Continuez de déplacer le jouet et de pousser contre les pieds du bébé jusqu'à ce qu'il ait parcouru quelques centimètres.

Variante

Placez une planche ou une autre surface rigide contre les pieds du bébé.

Mise en garde

Ne faites pas avancer votre bébé trop rapidement. Ne le laissez pas trop approcher du jouet, car il risquerait de s'y heurter la tête.

DE 3 À 6 MOIS

À cette étape de sa croissance, votre bébé apprend grâce à ses cinq sens. À sa naissance, ses sens les plus développés sont l'ouïe et l'odorat. Il reconnaît la voix de sa mère et, bientôt, celle de son père. Il distingue aussi certains bruits familiers : la clé de papa qui tourne dans la serrure, la sonnette de la porte d'entrée, les jappements du chien. Il reconnaît sa mère à son odeur et, souvent, refusera le biberon qui lui est offert par une personne qui n'a pas la même !

Son sens du toucher se développe rapidement lui aussi. Dès la naissance, votre bébé aime être tenu et caressé, et il réalise des progrès rapides dans tous les domaines du simple fait d'être porté et touché. Heureusement, il oublie rapidement la douleur et, si vous le piquez par inadvertance avec une épingle à couche, il aura vite fait de vous pardonner.

La vision et le goût sont les deux sens les plus lents à se développer. À la naissance, votre bébé possède une vision de 20 sur 200, mais dès l'âge d'un an, elle est de 20 sur 20. Il aime regarder des objets fascinants et préfère les visages aux choses abstraites, et le visage d'un bébé à celui d'un adulte. À la naissance, il peut suivre votre doigt du regard si vous le tenez à 25 cm de son visage. À trois mois, il distingue les objets plus éloignés.

Votre bébé mettra à peu près n'importe quoi dans sa bouche non pas tant pour y goûter que pour l'explorer. En effet, il apprend en explorant les objets avec sa langue et ses lèvres. En se servant uniquement de sa bouche, il peut dire si un objet est chaud ou froid, doux ou rugueux, mou ou dur, gros ou petit. Cependant, il n'est pas prêt à manger des aliments solides avant l'âge de six mois environ. Laissez-le donc se servir de sa bouche pour apprendre et pour boire le lait maternel ou maternisé, et mettez de côté les petits pots de nourriture pour bébé pendant quelques semaines encore.

Aidez votre bébé à développer ses cinq sens en jouant avec lui aux jeux proposés dans la section qui suit.

Nom du bébé en chanson

Vous pouvez chanter le nom de votre bébé à n'importe quel moment de la journée ou la nuit, s'il se réveille et a besoin d'aide pour se rendormir. N'ayez surtout pas d'inquiétude : cela ne requiert aucun talent de cantatrice.

Matériel

- Votre voix
- Répertoire de chansons connues

Marche à suivre

1. Installez votre bébé confortablement et à la portée de votre voix : il peut être allongé ou assis sur vos genoux ou dans son siège. De préférence, placez-le de manière qu'il puisse voir votre visage.
2. Choisissez une chanson qu'il aime telle que «Fais dodo Cola mon p'tit frère» en remplaçant «Cola» par son nom.
3. Glissez son nom le plus souvent possible dans vos chansons.
4. Vous pouvez lui chanter «Dans la ferme à (Mathurin)», «Cadet (Roussel) a deux maisons» et «As-tu vu la casquette du père (Michaud)» en remplaçant les noms entre parenthèses par le nom de votre bébé.

Types d'apprentissage

- Acquisition du langage
- Capacité d'écouter
- Interaction sociale

Variante

Intégrez aux chansons des renseignements sur votre famille, le chien, le chat ou les jouets du bébé pour l'amuser et enrichir son vocabulaire.

Mise en garde

Évitez autant que possible de chanter faux, car vous risquez de lui faire perdre à jamais le goût de la musique ! (Je plaisante !)

La danse des petits

Entonnez «La danse des petits», car c'est maintenant l'heure de la séance d'entraînement. Les exercices qui suivent garderont votre bébé en forme. On n'est jamais trop jeune pour commencer!

Types d'apprentissage

- Acquisition du langage
- Motricité
- Exercice physique

Matériel

- Couverture ou serviette moelleuse étendue sur une surface douce
- Votre voix

Marche à suivre

1. Couchez votre bébé sur le dos, sur une couverture ou une serviette.
2. Déshabillez-le (laissez-lui sa couche si vous le voulez).
3. Chantez «La danse des petits» en bougeant les différentes parties de son corps.

La danse des petits

Écoute, c'est joli,
la danse des petits.
Avec une main, c'est la danse des petits.
Avec les deux mains, c'est la danse des petits.
Avec un seul bras, c'est la danse des petits. (Levez un bras du bébé.)
Avec les deux bras, c'est la danse des petits. (Levez les deux bras du bébé.)
Avec un seul pied, c'est la danse des petits. (Effectuez une rotation avec un pied du bébé.)
Avec les deux pieds, c'est la danse des petits. (Effectuez une rotation avec les deux pieds du bébé.)

Continuez ainsi: «Avec une jambe» (levez sa jambe), «Avec deux jambes» (levez ses deux jambes), «Avec une tête» (faites tourner sa tête latéralement), «Avec tout le corps» (roulez le bébé d'un côté et de l'autre).

Variante

Inventez de nouveaux couplets se rapportant à d'autres parties du corps.

Mise en garde

Bougez le corps du bébé doucement.

Promenade en bateau

Voici un jeu passionnant auquel vous pourrez jouer avec votre bébé, car il est de plus en plus fort et veut bouger de plus en plus. Promenez-le en bateau dans la maison pour lui faire découvrir un nouvel univers.

Matériel

- Deux petites couvertures moelleuses ou deux grandes serviettes
- Vaste surface de plancher bien dégagée

Marche à suivre

1. Étendez les couvertures ou les serviettes l'une sur l'autre afin d'obtenir un coussin épais et moelleux.
2. Couchez-y le bébé sur le dos.
3. Saisissez une extrémité des couvertures et tirez lentement le bébé autour de la pièce.
4. Décrivez certains des objets que vous voyez en vous déplaçant.

Types d'apprentissage

- Équilibre
- Exploration
- Stimulation visuelle

Variante

Couchez votre bébé sur le ventre afin de modifier sa perspective. Soulevez sa poitrine à l'aide d'un petit oreiller ou d'un jouet mou pour lui donner plus de confort et de force.

Mise en garde

Si votre bébé est couché sur le dos, glissez un coussin sous sa tête. Déplacez les couvertures très lentement et surveillez les bosses et les obstacles qui pourraient se trouver sur votre chemin.

Vole, bébé, vole

À mesure que s'affine sa perception de la profondeur, votre bébé aspire à voir une plus grande partie de son environnement. Tenez-le très haut afin de lui donner une vue d'ensemble de son univers et chantez-lui une chanson pendant qu'il vole dans les airs.

Types d'apprentissage

- Équilibre
- Maîtrise de la tête et du corps
- Poursuite visuelle et perception de la profondeur

Matériel

- Vos mains puissantes
- Des objets attrayants, à l'intérieur et à l'extérieur de la maison

Marche à suivre

1. Coincez le bébé sous votre bras comme un ballon de football ou couchez-le en travers de vos bras tendus.
2. Levez-le et descendez-le, faites-le tournoyer et faites-lui voir le monde depuis ses nouvelles hauteurs. Récitez les comptines ci-dessous tout en le faisant voler.

Variante

Trouvez des comptines ou des chansons qui se prêtent aux mouvements du corps ou inventez les vôtres.

Mise en garde

Tenez bien votre bébé pour ne pas l'effrayer ni l'échapper en le faisant voler.

Do ré mi
La perdrix
Mi fa sol
Elle s'envole
Fa mi ré
Dans un pré
Mi ré do
Tombe dans l'eau.
Pigeon, vole!
Vole, pigeon!
Lon, lon, lon,
Loin, loin, loin.
Un, deux, trois,
Vous n'y êtes pas.

Pêche à la ligne

Les enfants de tout âge adorent la pêche, aussi pourquoi ne pas commencer tôt? Votre bébé appréciera l'élément de surprise tout en mettant à contribution sa capacité de résoudre des problèmes pour obtenir ce qu'il veut.

Types d'apprentissage

- Anticipation
- Cause et effet
- Permanence de l'objet
- Résolution de problème

Matériel

- Un mètre de ficelle
- Jouet coloré
- Ruban masque
- Table

Marche à suivre

1. Nouez une extrémité de la ficelle autour d'un jouet coloré.
2. Placez la ficelle sur la table en laissant pendre le jouet en dehors, hors de la vue du bébé.
3. Fixez l'autre extrémité de la ficelle à la table au moyen du ruban masque.

4. Tenez le bébé sur vos genoux de sorte qu'il se trouve en face de la table et de la ficelle.
5. Retirez le ruban masque et laissez le bébé tenir l'extrémité de la ficelle.
6. Donnez-lui le temps de faire des expériences avec la ficelle.
7. Encouragez-le à tirer la ficelle vers lui en disant: «Qu'est-ce que c'est?» ou «Où est le jouet?» Lorsqu'il tirera sur la ficelle, l'apparition du jouet à l'autre bout de la table lui causera une merveilleuse surprise.
8. Voyez si votre bébé devine ce qu'il doit faire pour s'emparer du jouet.

Variante

Au lieu de cacher le jouet, placez-le bien à la vue afin que votre bébé découvre comment s'en emparer au moyen de la ficelle.

Mise en garde

Ne quittez pas votre bébé des yeux au cas où il s'entortillerait dans la ficelle.

Chapeau bas !

Votre bébé s'habitue tout juste à reconnaître les visages au moment où vous lui montrez le jeu qui suit. Vous ne pourrez pas le leurrer très longtemps, mais il s'amusera à vous ôter et à vous remettre votre chapeau.

Matériel

- Divers chapeaux
- Siège de bébé
- Votre visage et votre tête

Types d'apprentissage

- Cause et effet
- Affronter l'angoisse devant l'étranger
- Constance des objets (un objet peut changer d'apparence tout en demeurant le même)
- Interaction sociale

Marche à suivre

1. Rassemblez divers chapeaux que vous avez à la maison ou achetez des chapeaux peu coûteux dans une friperie ou une boutique de déguisements. Essayez de trouver une casquette, une calotte de laine, un chapeau amusant, un casque de pompier, un chapeau de clown, un chapeau melon, un béret, un bonnet de bain ou un joli chapeau à plumes. (Évitez les masques susceptibles d'effrayer les jeunes enfants.)
2. Mettez votre bébé dans son siège que vous poserez par terre et asseyez-vous devant lui.
3. Coiffez un chapeau et faites des mimiques tout en lui parlant pour attirer son attention: «Regarde-moi!» ou «Je suis un pompier!»
4. Penchez-vous vers le bébé pour qu'il puisse prendre le chapeau et vous l'enlever, ou retirez-le vous-même.
5. Recommencez ce jeu plusieurs fois avec le même chapeau avant d'en mettre un autre.

Variante

Mettez un chapeau sur la tête du bébé et coiffez-en un vous-même, puis regardez-vous dans une glace.

Mise en garde

Les bébés s'effraient parfois en voyant l'apparence des gens se modifier. Si votre bébé a l'air bouleversé, portez le chapeau brièvement, puis retirez-le et montrez-lui que c'est toujours maman ou papa qui est là. S'il ne se calme pas, remettez le jeu à plus tard.

Coups de pied

Le jeu qui suit, outre qu'il constitue un défi tant pour vous que pour votre bébé, est aussi un excellent exercice pour celui-ci, car il l'oblige à pédaler sans arrêt. C'est un jeu idéal pour développer sa force et sa coordination musculaires, et vous y prendrez plaisir tous les deux.

Types d'apprentissage

- Cause et effet
- Coordination
- Motricité globale

Matériel

- Gros ballon de plage mesurant entre 60 cm et 1 m de diamètre
- Couverture moelleuse étendue sur une surface douce

Marche à suivre

1. Couchez votre bébé sur le dos sur une couverture moelleuse.
2. Levez ses jambes.
3. Placez un ballon sur ses pieds et maintenez-le en l'air pendant que le bébé donne des coups de pied.
4. Faites pivoter le ballon pendant que le bébé donne des coups de pied et voyez si vous pouvez le maintenir en l'air pendant qu'il tourne.

Variante

Laissez tomber le ballon sur les jambes du bébé depuis une courte distance et voyez s'il le frappe avec ses pieds. S'il réussit, félicitez-le chaudement. Sinon, continuez le jeu jusqu'à ce qu'il frappe le ballon ou se désintéresse du jeu.

Mise en garde

Couchez votre bébé sur une surface douce car, excité par ses coups de pied, il risque de se frapper contre le sol. Prenez garde que le ballon ne l'atteigne au visage. Cela lui causerait une désagréable surprise.

La petite locomotive

Maintenant que votre bébé peut rester assis sans soutien, emmenez-le en voyage en jouant au jeu qui suit. Il appréciera la promenade, la vue et le divertissement. Tout ce qu'il vous faut, c'est une simple caisse en carton!

Types d'apprentissage

- Équilibre
- Maîtrise de la tête et du cou
- Poursuite visuelle

Matériel

- Caisse en carton de 45 cm sur 60 cm et de 30 cm de hauteur
- Couvertures ou serviettes moelleuses
- Bout de corde d'environ 2 m

Marche à suivre

1. Trouvez une caisse assez grande pour y asseoir votre bébé et retirez-en une tranche sur la hauteur de manière qu'il soit bien soutenu, mais qu'il puisse regarder par-dessus le bord.
2. Percez deux orifices sur le devant de la caisse de chaque côté, à mi-hauteur.
3. Insérez les extrémités de la corde dans les orifices et nouez-les solidement.
4. Tapissez la caisse de couvertures ou de serviettes pour assurer le confort et le soutien du bébé.
5. Saisissez la boucle formée par la corde et tirez doucement votre bébé dans la maison ou dans le jardin.

Variante

Peignez la caisse pour lui donner l'apparence d'une locomotive ou encore d'un avion, d'une automobile, d'un bateau ou de tout autre véhicule favori de votre enfant.

Mise en garde

Tirez votre bébé lentement pour ne pas le blesser au cou ni le faire sursauter par de brusques manœuvres. Attention aux marches et aux surfaces inégales.

Hochets vivants

Transformez en symphonie les mouvements des bras et des jambes de votre bébé. Il apprendra très vite à faire des mouvements délibérés pour obtenir cet effet.

Matériel

- Bandes élastiques pour les cheveux ou bandes élastiques recouvertes de tissu, de 3 ou 5 cm de diamètre
- Fil et aiguille
- Clochettes, grelots ou autres objets sonores
- Couverture moelleuse ou siège de bébé

Marche à suivre

1. Cousez des clochettes, des grelots ou d'autres petits objets sonores sur la face externe des bandes élastiques.
2. Couchez le bébé sur le dos sur une couverture ou asseyez-le dans son siège.
3. Glissez les bandes élastiques à ses poignets et à ses chevilles.
4. Regardez-le faire du bruit grâce aux mouvements réflexes de ses bras et de ses jambes. Observez ensuite comment il apprend à produire des sons en remuant les bras et les jambes délibérément.

Types d'apprentissage

- Localisation auditive
- Cause et effet
- Motricité (des côtés gauche et droit du corps)

Variante

Cousez les objets sonores sur de petites chaussettes ou des mitaines que vous glisserez aux mains et aux pieds du bébé.

Mise en garde

Cousez solidement les grelots, car votre bébé risque de les avaler s'ils se détachent. Évitez les objets rigides ou pourvus d'angles acérés ou de rebords tranchants.

Dans la ferme à Mathurin

Votre bébé est désormais prêt à apprécier un spectacle de marionnettes haut en couleur! Faites appel à votre imagination pour créer des marionnettes inspirées de vos histoires préférées. Nous avons choisi «Dans la ferme à Mathurin».

Types d'apprentissage

- Acquisition du langage
- Interaction sociale
- Poursuite visuelle

Matériel

- Gant de jardinage
- Cinq pompons colorés de 2,5 cm: beige, rose, noir, jaune, blanc
- Pistolet à coller
- Dix petits yeux mobiles
- Morceaux de feutre coloré

Marche à suivre

1. Achetez cinq pompons: un de couleur chair pour le fermier, un rose pour le cochon, un noir pour la vache, un jaune pour la poule et un blanc pour la chèvre.
2. Collez les pompons à l'extrémité des doigts du gant de jardinage (du côté de la paume).
3. Ajoutez des yeux. Utilisez les morceaux de feutre pour fabriquer un museau rose pour le cochon, de grandes cornes pour la vache, des plumes jaunes pour la poule et de minuscules cornes pour la chèvre.
4. Attendez que la colle soit parfaitement sèche.
5. Prenez le bébé sur vos genoux ou asseyez-le dans son siège en face de vous.
6. Enfilez le gant et chantez «Dans la ferme à Mathurin» en agitant la marionnette appropriée.

Variante

Plutôt que «Dans la ferme à Mathurin», créez «Les trois petits cochons» en utilisant trois pompons roses pour les cochons, un pompon noir pour le loup et un blanc pour le loup déguisé en mouton.

Mise en garde

Assurez-vous que les pompons et les autres accessoires sont solidement fixés sur le gant. Empêchez le bébé de mettre le gant dans sa bouche.

Ouvert et fermé

Pendant les mois qui suivent sa naissance, votre bébé a le réflexe de prendre les objets dans sa main, mais il a du mal à les laisser aller. Voici un jeu qui l'aidera à mieux maîtriser ses mains et son réflexe de préhension.

Matériel

- Petits jouets faciles à saisir pour le bébé : hochets, animaux en peluche, anneaux de dentition, blocs, etc.
- Table ou chaise haute

Marche à suivre

1. Trouvez une variété de petits jouets qui tiennent facilement dans la main du bébé.
2. Prenez votre bébé sur vos genoux près d'une table ou mettez-le dans sa chaise haute.
3. Placez un petit jouet près de lui de manière à l'obliger à tendre la main pour s'en emparer.
4. Encouragez-le à prendre le jouet.
5. Laissez-le jouer pendant un moment, puis dépliez doucement ses doigts un à un et ôtez-lui le jouet.
6. Remettez le jouet sur la table.
7. Pendant que le bébé a les mains libres, récitez la comptine ci-dessous.

Types d'apprentissage

- Préhension et relâchement
- Motricité fine
- Maîtrise des petits muscles

Voici mon p'tit jardin

Voici mon p'tit jardin.
J'y ai semé des graines.
Je les recouvre de terre noire.
Voici la bonne et douce pluie !
Le soleil brille dans le ciel !
Et voici une, deux, trois,
quatre, cinq petites pousses !
(Dépliez les doigts du bébé un à un sur les deux derniers vers.)

Variante

Au lieu de déplier les doigts du bébé, offrez-lui un autre jouet. Quand il tendra la main pour s'en emparer, il devrait lâcher le premier. S'il le laisse échapper par mégarde, dites : «Oups ! Tu l'as échappé !» et ramassez-le. Voyez s'il l'échappe de nouveau.

Mise en garde

Comme votre bébé met tous ses jouets dans sa bouche pendant cette période, assurez-vous qu'ils sont propres et sans pointes ni angles.

Marionnette joujou

À mesure que la vision de votre bébé s'améliore, il distingue plus clairement les objets éloignés. Pour exercer sa capacité de fixer son regard et de suivre les objets des yeux, gardez à portée de la main une marionnette que vous utiliserez pendant les repas, les changements de couche ou l'heure du jeu.

Types d'apprentissage

- Acquisition du langage
- Interaction sociale
- Acuité visuelle

Matériel

- Chaussettes blanches propres
- Marqueurs indélébiles

Marche à suivre

1. Achetez une paire de chaussettes blanches assez grandes pour que vous puissiez y glisser la main.
2. Dessinez des yeux, des sourcils, un nez et des oreilles sur les orteils des deux chaussettes au moyen de marqueurs. Suivez le contour des talons pour créer la bouche et tracez une langue rouge dans les replis.
3. Prenez le bébé sur vos genoux ou asseyez-le sur la table à langer ou dans son siège.
4. Glissez une marionnette sur votre main et amusez votre bébé en chantant des chansons, en récitant des comptines ou en lui parlant tout simplement. Doublez son plaisir en enfilant la seconde marionnette sur votre autre main.

Variante

Décorez des chaussettes d'enfant pour créer des bébés marionnettes, puis passez celles-ci aux menottes du bébé pendant que vous faites votre numéro. Vous pouvez aussi fabriquer des marionnettes en trois dimensions en y cousant des yeux, un pompon pour le nez, des morceaux de feutre pour les lèvres et la langue, et des brins de laine pour les cheveux.

Mise en garde

Assurez-vous que tous les éléments faciaux sont solidement cousus et empêchez votre bébé de mettre les chaussettes dans sa bouche. Si vous utilisez des marqueurs, ne laissez pas le bébé sucer les chaussettes, car l'encre pourrait se diluer.

Petit galop

Lorsque votre bébé a développé de la force dans son cou et qu'il maîtrise mieux sa tête, vous pouvez le faire galoper doucement. Choisissez une comptine de votre préférence ou chantez l'une de celles qui vous sont proposées ici.

Matériel

- Votre genou
- Petite couverture ou serviette moelleuse

Marche à suivre

1. Placez une petite couverture ou une serviette sur votre genou pour le confort du bébé.
2. Asseyez le bébé sur votre genou, en face de vous, et tenez-le par les bras.
3. Tout en récitant une comptine, faites-le sauter doucement.
4. Répétez la même comptine plusieurs fois avant de passer à une autre. Voici quelques suggestions.

Variante

Placez votre bébé dos à vous et recommencez le jeu.

Types d'apprentissage

- Équilibre
- Maîtrise de la tête et du cou
- Acquisition du langage
- Interaction sociale

À cheval, à cheval

À cheval, à cheval,
  sur la queue d'un orignal
À Rouen, à Rouen,
  sur la queue d'un p'tit ch'val blanc.
À Paris, à Paris,
  sur la queue d'une p'tite souris.
À Versailles, à Versailles,
  sur la queue d'une grande vache caille.
À Québec, à Québec,
  sur la queue d'une belette.

Petit cheval va au marché

Petit cheval va au marché,
  au pas, au pas, au pas.
Petit cheval va au marché,
  au trot, au trot, au trot.
Petit cheval va au marché,
  au galop, au galop, au galop.
Boum!

Mise en garde

Ne faites pas sauter votre bébé trop fort et tenez-le bien pour l'empêcher de tomber.

Douche de pluie

Aidez votre bébé à découvrir son univers et à élargir ses horizons par ses sens. Comme l'eau offre une stimulation sensori-motrice parfaite, transformez l'heure du bain en expérience sensorielle!

Matériel

- Broche
- Bouteille en plastique (savon à vaisselle ou bouteille de ketchup ou de moutarde)
- Baignoire de bébé ou ordinaire

Marche à suivre

1. Au moyen d'une broche, perforez le fond et les côtés d'une bouteille en plastique. Espacez les trous d'environ 2,5 cm.
2. Mettez votre bébé dans sa baignoire ou dans une baignoire ordinaire et entrez-y avec lui si vous le voulez. Descendez doucement le bébé dans l'eau pour lui donner le temps de s'habituer à cette étrange sensation.
3. Remplissez la bouteille en plastique avec l'eau du bain.
4. Tenez-la de telle sorte que le bébé voie l'eau jaillir des orifices.
5. Tenez la bouteille au-dessus de son corps et laissez l'eau le chatouiller doucement.

Types d'apprentissage

- Jouissance de l'environnement
- Développement sensori-moteur
- Interaction sociale

6. Si votre bébé le supporte, tenez la bouteille au-dessus de sa tête et faites pleuvoir l'eau sur lui.

Variante

Utilisez des bouteilles en plastique pour toutes sortes de jeux aquatiques. Une bouteille de ketchup fait un excellent gicleur de même qu'une poire à jus. Un vaporisateur pour plantes vertes est idéal pour habituer le bébé à l'eau en douceur.

Mise en garde

Essayez de ne pas mettre d'eau dans les yeux du bébé surtout si l'eau est savonneuse. Si votre bébé n'aime pas se mouiller le visage, vaporisez uniquement son corps.

Grand galop

Emmenez votre bébé à cheval... sans quitter la maison! Votre jambe lui sert de monture et votre voix produit les sons nécessaires. Allez hop! Mettez votre bébé en selle et faites-le galoper dans son enclos.

Matériel

- Chaise confortable
- Votre jambe
- Petite serviette

Marche à suivre

1. Retirez vos chaussures, asseyez-vous confortablement et croisez les jambes.
2. Placez une petite serviette sur une de vos chevilles.
3. Asseyez le bébé sur la serviette, en face de vous, bras tendus devant lui.
4. Tenez les mains du bébé et levez et baissez la jambe lentement pour le faire galoper tout en récitant une des comptines ci-dessous.

Ferre, ferre mon poulain

Ferre, ferre mon poulain
  pour aller à Saint-Germain.
Ferre, ferre ma pouliche
  pour aller chez ma nourrice.
Au pas, au pas, au pas.
Au trot, au trot, au trot.
Au galop, au galop, au galop.
À cheval gendarme

Types d'apprentissage

- Équilibre
- Maîtrise de la tête
- Motricité
- Interaction sociale

À cheval gendarme,
  à pied bourguignon!
Allons en Champagne
  où le vin est bon!
Patapon, pata-
    pon,
    patapon,
    pata-
    pon!

Variante

Mettez votre bébé sur votre genou plutôt que sur votre cheville et levez et baissez la jambe pour le faire galoper.

Mise en garde

Évitez absolument de faire sauter le bébé trop fort. Vos mouvements doivent absolument être lents et doux pour ne pas blesser son cou délicat.

Rayon vagabond

Pour améliorer les aptitudes visuelles de votre bébé, jouez au Rayon vagabond. Il s'agit d'un jeu tranquille à faire le soir, juste avant de coucher votre bébé ou encore lorsque vous désirez le calmer.

Matériel

- Pièce sombre
- Lampe de poche

Types d'apprentissage

- Cause et effet
- Perception de la profondeur
- Compréhension de l'environnement
- Poursuite visuelle

Marche à suivre

1. Choisissez une pièce pouvant être plongée dans une obscurité totale.
2. Asseyez-vous sur une chaise ou sur le sol et prenez le bébé sur vos genoux.
3. Éteignez les lumières et allumez la lampe de poche. Dirigez le faisceau lumineux sur le mur et attirez l'attention du bébé.
4. Dites quelque chose comme: «Oh! regarde la lumière.»
5. Déplacez le faisceau lentement en l'immobilisant sur les objets intéressants.
6. Faites un commentaire sur l'objet que vous illuminez, par exemple: «Regarde, c'est l'ourson en peluche de bébé!»
7. Continuez de déplacer le rayon jusqu'à ce que le bébé se lasse du jeu.

Variante

Laissez le bébé tenir la lampe de poche avec votre aide et voyez s'il devine comment la manier. Ou donnez-lui sa propre petite lampe de poche.

Mise en garde

N'orientez pas le rayon vers les yeux du bébé. Si l'obscurité finit par l'effrayer, allumez une veilleuse qui n'atténue pas trop le faisceau lumineux.

La petite bête

Plus vous jouez à ce jeu, plus il devient passionnant. En outre, il familiarisera votre bébé avec son corps et lui apprendra à aimer les jeux sociaux.

Matériel

- Vos genoux ou un siège de bébé
- Vos doigts

Marche à suivre

1. Déshabillez votre bébé (laissez-lui sa couche si vous le désirez).
2. Prenez-le sur vos genoux ou mettez-le dans son siège.
3. Récitez la comptine ci-dessous en exécutant les mouvements de doigts correspondants.

La petite bête

C'est la petite bête
qui monte, qui monte,
qui monte
et qui fait guili,
guili, guili...
(Parcourez légèrement le ventre du bébé avec vos doigts pour aboutir à l'aisselle ou au cou.)

Types d'apprentissage

- Anticipation
- Conscience du corps
- Stimulation sensorielle
- Interaction sociale

Variante

Au lieu d'utiliser vos doigts, prenez un petit jouet mou à l'effigie d'une araignée ou d'une souris.

Mise en garde

Ne chatouillez pas le bébé trop fort, car le jeu l'irritera au lieu de l'amuser.

Écrabouillage

À cet âge, votre bébé s'efforce de saisir de menus objets avec ses petits doigts potelés. Le jeu qui suit l'aidera à développer son autonomie et sa motricité fine. En prime, votre bébé pourrait même manger des aliments sains!

Types d'apprentissage

- Autonomie/indépendance
- Motricité fine
- Apprentissage de l'autonomie (manger)

Matériel

- Bavette
- Toile en plastique ou vieux journaux (facultatif)
- Chaise haute dotée d'une sangle de sécurité
- Banane mûre

Marche à suivre

1. Mettez une bavette au bébé pour protéger ses vêtements.
2. Si vous le désirez, glissez une toile en plastique ou de vieux journaux sous la chaise haute.
3. Mettez le bébé dans sa chaise haute et attachez la sangle de sécurité.
4. Coupez une banane mûre en morceaux et déposez-les sur la tablette de la chaise haute.
5. Laissez le bébé explorer les caractéristiques de la banane avec ses mains, son visage et sa bouche.

Variante

Essayez une variété d'aliments mous tels qu'une pêche mûre (dénoyautée), une assiette de gelée aux fruits ou un petit bol de riz ou de gruau cuit et refroidi ou de purée de pommes de terre froide.

Mise en garde

Surveillez toujours votre bébé pendant qu'il mange au cas où un incident surviendrait.

Hop là !

Lorsqu'il apprendra à mieux maîtriser ses mouvements, votre bébé perdra deux réflexes innés : le réflexe de préhension et le réflexe de la poupée (il ouvre les yeux quand on l'assoit). Pendant que ces réflexes sont toujours présents, profitez-en pour jouer au jeu qui suit.

Matériel

- Surface douce et non glissante
- Vos mains

Marche à suivre

1. Couchez le bébé sur une surface douce et non glissante comme un tapis.
2. Asseyez-vous à ses pieds en face de lui.
3. Placez vos pouces sur les paumes du bébé et attendez qu'il les agrippe. Entourez de vos doigts le dos de ses mains.
4. Tirez lentement le bébé vers le haut pour l'asseoir en disant : « Hop là ! »
5. Laissez le bébé contempler quelques instants votre mine réjouie et apprécier le jeu, puis recouchez-le et recommencez.

Types d'apprentissage

- Anticipation et surprise
- Préhension
- Maîtrise de la tête et du cou
- Interaction sociale

Variante

Asseyez votre bébé en soutenant son dos, puis laissez-le s'agripper à vos pouces et soulevez-le pour le mettre en position debout. Cet exercice est excellent pour ses jambes.

Mise en garde

Tenez solidement les mains du bébé au cas où il lâcherait prise. Faites des mouvements lents pour ne pas le blesser au cou.

Petit poisson rouge

À mesure que votre bébé grandit et se développe, ses cinq sens l'aident à se connaître et à explorer le monde autour de lui. Barboter dans la baignoire constitue non seulement une expérience sensorielle complète, mais encore une source inépuisable de plaisir!

Matériel

- Baignoire
- Vos mains

Marche à suivre

1. Remplissez la baignoire d'eau chaude pour votre bébé (et vous-même si vous le désirez).
2. Plongez-y le bébé lentement pour lui donner le temps de s'habituer à l'eau.
3. Montrez-lui les propriétés de l'eau en l'éclaboussant, en l'aspergeant et en faisant couler de l'eau tout doucement sur lui.
4. Quand le bébé est prêt à jouer au «Petit poisson rouge», tenez-le fermement sur le ventre avec vos deux mains et effectuez un lent mouvement de va-et-vient en maintenant bien sa tête hors de l'eau.

Types d'apprentissage

- Motricité
- Exploration sensorielle
- Interaction sociale
- Compréhension de l'environnement

5. Imitez le ronronnement d'un moteur tout en déplaçant votre bébé de l'avant vers l'arrière. Laissez-le se reposer quelques instants entre les promenades.

Variante

Tournez votre bébé sur le dos et faites-le nager dans cette position. Ou encore mettez des jouets dans la baignoire et faites avancer le bébé vers eux, puis tirez-le vers l'arrière au moment où il les atteint.

Mise en garde

Maintenez bien la tête du bébé hors de l'eau et évitez de lui mettre de l'eau dans le visage, les yeux ou la bouche. L'eau ne doit être ni trop chaude ni trop froide.

DE 6 À 9 MOIS

Votre bébé se transforme en un tourbillon d'activité tandis qu'il apprend à bouger son corps de la tête aux pieds et jusqu'au bout des doigts et des orteils. Bientôt, il pourra s'asseoir, ramper, marcher à quatre pattes et même se tenir debout à mesure qu'il développe sa motricité globale. En même temps, il passe de la préhension palmaire (toute la main) à la pince fine (pouce et doigt).

Si votre bébé continue de porter toutes sortes de choses à sa bouche, il est cependant de plus en plus habile à tenir des objets, à les laisser tomber et à les lancer. En outre, les objets qu'il met dans sa bouche sont de plus en plus appropriés puisqu'il s'agit le plus souvent de nourriture. Lorsqu'il commencera à prendre des aliments solides, donnez-lui sa propre cuillère ou sa tasse pour l'aider à développer son autonomie. Il fera certainement des dégâts au début, mais il pourra bientôt se nourrir seul sans vous obliger à sortir le boyau d'arrosage pour tout nettoyer.

Votre bébé assimile vos mots et s'efforce d'en saisir le sens. Il comprend les mots qu'il entend souvent tels que «Non!» et «Tu veux ton biberon?» et ceux qui lui tiennent à cœur tels que «Papa», «Maman» et «Fido». Il «parle» avec son corps en désignant les objets du doigt, en tendant la main vers eux et en agitant la main en signe d'au revoir. Comme il contrôle mieux ses mimiques faciales, il arrive à mieux exprimer ses besoins.

Le sens du soi de votre bébé se développe aussi durant cette période où il se sépare de maman et de papa, et s'éloigne à quatre pattes. C'est une période terrifiante pendant laquelle il éprouve à la fois le besoin de se rapprocher et celui de s'éloigner de ses parents, mais il est prêt à explorer son environnement seul, sous votre surveillance discrète.

Comme votre tout-petit aime jouer avec vous mais aussi avec d'autres bébés de son âge, fournissez-lui de nombreuses occasions d'entrer en rapport avec les autres. Il éprouvera peut-être une légère anxiété devant les étrangers ou craindra de se séparer de ses parents; aidez-le en jouant à des jeux axés sur le développement social et la permanence de l'objet.

Il n'est jamais trop tôt pour stimuler l'estime de soi de votre bébé. Tout en jouant aux jeux de cette section-ci, préparez-le au succès et voyez-le acquérir l'assurance nécessaire pour s'attaquer à de nouveaux défis. S'il a conscience de sa propre valeur et de ses capacités, rien ne pourra l'arrêter. Alors, mettez-vous à quatre pattes et essayez de suivre votre petit tourbillon!

Abracadabra !

Jouez à Abracadabra! avec votre bébé et faites disparaître un jouet comme par magie, sous ses yeux et sans miroir! Il comprendra très vite que le jouet n'a pas disparu, mais se trouve encore dans vos mains.

Matériel

- Petit jouet

Marche à suivre

1. Trouvez un jouet coloré assez petit pour le tenir dans votre main.
2. Couchez le bébé sur le dos et montrez-lui le jouet.
3. Laissez-le tenir le jouet et l'explorer pendant quelques minutes.
4. Ôtez-lui doucement le jouet et placez-le dans le creux de votre main.
5. Fermez les deux mains et montrez vos poings au bébé.
6. Demandez-lui: «Où est passé le jouet?»
7. Si votre bébé a l'air perplexe, ouvrez la main et montrez-lui le jouet en disant: «Le voici!»
8. Recommencez le jeu en changeant de main et de jouet.

Types d'apprentissage

- Cognition et réflexion
- Coordination visuelle-manuelle
- Permanence de l'objet

Variante

Mettez du vernis à ongle coloré sur vos ongles ou dessinez-y de petites figures au crayon feutre. Montrez vos doigts au bébé, agitez-les, puis repliez-les un à un sur la paume de votre main pour les faire disparaître. Dépliez-les un à la fois, puis dissimulez-les de nouveau.

Mise en garde

Ne choisissez pas un jouet trop petit, car votre bébé pourrait s'étouffer en l'explorant avec sa bouche.

Visite au zoo

Lorsque votre bébé commence à marcher, il adore faire des sons. Organisez une visite imaginaire au zoo et faites-lui faire connaissance avec les animaux tout en stimulant ses aptitudes à écouter et à parler.

Matériel

- Animaux en peluche ou grandes photographies d'animaux
- Siège de bébé
- Votre voix

Types d'apprentissage

- Reconnaissance auditive
- Classification
- Acquisition du langage
- Interaction sociale

Marche à suivre

1. Trouvez une variété d'animaux en peluche ou de grandes photographies d'animaux.
2. Installez votre bébé dans son siège et asseyez-vous en face de lui.
3. Tenez un animal ou une photo près de votre visage sans cacher votre bouche et imitez le cri de l'animal.
4. Laissez votre bébé imiter le cri, puis répétez-le.
5. Prenez un autre animal ou une autre photo et imitez son cri.
6. Faites de même avec tous les animaux ou images.
7. Reprenez les animaux ou les images à tour de rôle mais, cette fois, attendez un moment avant d'imiter leur cri pour que le bébé puisse l'anticiper.

Variante

Certains bébés réagissent davantage aux stimuli auditifs qu'aux stimuli visuels. Si votre bébé appartient à cette catégorie, imitez d'abord le cri de l'animal, puis montrez-lui l'animal ou l'image.

Mise en garde

Ne criez pas trop fort pour ne pas effrayer votre bébé.

"MIAOU"

Animal-sac

Fabriquez vos propres animaux rembourrés et variez vos jeux à l'infini. Cousez un petit sac en forme d'animal, remplissez-le de haricots secs et laissez votre bébé explorer ses caractéristiques. Puis, essayez les jeux ci-dessous.

Matériel

- Deux gants de toilette en tissu éponge
- Deux tasses de haricots secs
- Fil et aiguille
- Crayons feutres indélébiles

Marche à suivre

1. Découpez deux silhouettes d'animal identiques dans les gants de toilette en simplifiant les formes au maximum. Les silhouettes d'ours, de souris ou de grenouille sont simples et amusantes.
2. Cousez les deux silhouettes ensemble en laissant une ouverture à la tête.
3. Mettez le sac à l'endroit et remplissez-le aux trois quarts de haricots secs.

Types d'apprentissage

- Cognition et réflexion
- Développement émotionnel
- Motricité fine
- Imagination

4. Refermez l'ouverture.
5. Dessinez-y une face et d'autres détails au moyen des crayons feutres indélébiles.
6. Donnez l'animal au bébé pour qu'il l'explore quelques instants.
7. Montrez-lui comment jouer avec son nouveau jouet : laissez le tomber, lancez-le, mettez-le en tas, couchez-le sur différentes parties du corps du bébé, cachez-le, faites-le bouger et parler, embrassez-le, tenez-le et pliez-le.

Variante

Fabriquez un animal plus grand en le découpant dans des essuie-mains. Confectionnez plusieurs animaux rembourrés pour divertir votre bébé.

Mise en garde

Cousez solidement l'animal pour empêcher les haricots de s'en échapper. Utilisez de petits haricots qui ne risquent pas d'étouffer votre bébé s'ils lui tombent sous la main.

Battement de tambour

Même à son jeune âge, votre bébé possède le sens du rythme. Comme il adore marteler et faire du bruit, profitez de ses talents pour le transformer en percussionniste amateur. Voici plusieurs manières d'apprécier les battements de tambour.

Types d'apprentissage

- Cause et effet
- Capacité d'écouter
- Rythme et coordination

Matériel

- Chaise haute
- Cuillère en bois, pinceau de cuisine et autres «baguettes»
- Papier d'aluminium, bol en plastique, assiette à tarte, journal et autres objets à frapper

Marche à suivre

1. Mettez le bébé dans sa chaise haute et replacez la tablette.
2. Donnez-lui une cuillère en bois et montrez-lui comment frapper sur la tablette.
3. Puis, offrez-lui un pinceau de cuisine et d'autres «baguettes» une à la fois.
4. Présentez-lui ensuite différents objets à frapper : feuille de papier d'aluminium, chaudron en métal, bol en plastique, moule à tarte, journal et ainsi de suite.
5. Mettez du coton dans vos oreilles pour éviter d'avoir mal à la tête!

Variante

Asseyez votre bébé sur le sol, donnez-lui tous les articles en même temps et laissez-le déployer tous ses talents avec son matériel de percussion. Fabriquez un tambour en couvrant l'extrémité ouverte d'une boîte de métal avec du papier ciré et donnez-lui une petite cuillère en bois en guise de baguette.

Mise en garde

Veillez à ce que votre bébé ne se frappe pas lui-même ni ne frappe personne d'autre avec ses baguettes.

Attrapé !

Le jeu qui suit devient passionnant lorsque votre bébé a six mois. Il est maintenant conscient de son environnement, il connaît bien ses parents et est habitué aux petites surprises occasionnelles. Attrapez-le!

Matériel

- Couverture moelleuse
- Vos doigts

Marche à suivre

1. Étendez une couverture moelleuse sur le sol et couchez-y votre bébé sur le ventre.
2. Placez-vous de l'autre côté de la pièce et mettez-vous à quatre pattes.
3. Dites au bébé : «Je vais t'attraper!» et rampez dans sa direction en remuant les doigts d'une main, puis de l'autre.
4. Répétez cette incantation tandis que vous vous approchez du bébé; souriez et gloussez pour lui montrer qu'il s'agit d'un jeu.
5. Une fois rendu près du bébé, mettez vos mains sur son dos et chatouillez-le brièvement en disant : «Attrapé!»
6. Recommencez jusqu'à ce que votre bébé se lasse du jeu.

Variante

Pour changer, surprenez votre bébé en arrivant derrière lui. S'il essaie de vous échapper en rampant, avancez lentement pour lui donner la chance de vous distancer.

Mise en garde

Demandez à un parent de «protéger» votre bébé tandis que vous vous approchez afin d'atténuer sa peur s'il semble craintif.

Bébé content !

Votre bébé éprouve maintenant une vaste gamme d'émotions : joie, tristesse, colère et même culpabilité et fierté. Voici un jeu qui l'aidera à exprimer des émotions positives tout en se familiarisant avec certaines parties de son corps.

Types d'apprentissage

- Coordination et imitation
- Expression émotionnelle
- Motricité globale et fine
- Acquisition du langage

Matériel

- Siège de bébé
- Parties de votre corps
- Votre voix

Marche à suivre

1. Mettez votre bébé dans son siège et posez celui-ci par terre.
2. Chantez la chanson ci-dessous en bougeant à mesure les parties du corps de votre bébé.

   Si tu es content
   Si tu es content tape des mains
   Si tu es content tape des mains
   Si tu es content
   tes mains le montreront.
   Si tu es content tape des mains.

3. Reprenez la chanson en remplaçant «tape des mains» par «tape du pied», «hoche la tête», «agite les bras», «plie les genoux», «secoue tes fesses» et «lance un baiser».

Variante

Inventez vos propres paroles et ajoutez de nouvelles parties du corps comme les doigts, les orteils, la langue, les cheveux ou même les jouets du bébé.

Mise en garde

Faites bouger le bébé doucement afin de ne pas le blesser en jouant à ce jeu dynamique.

Palais de glace

Voici une activité amusante à faire dans la baignoire avec votre bébé. Elle l'occupera et l'amusera tout en l'initiant aux propriétés de l'eau.

Matériel

- Bacs ou moules à glaçons
- Baignoire de bébé
- Ballons
- Boîte de lait
- Colorant alimentaire
- Petits jouets en plastique ou jouets pour le bain

Marche à suivre

1. Remplissez d'eau les bacs ou moules à glaçons, les ballons, les boîtes de lait et les autres contenants. Ajoutez quelques gouttes de colorant alimentaire à chaque contenant et rangez-les au congélateur pour la nuit.
2. Remplissez la baignoire d'eau chaude et plongez-y votre bébé lentement.
3. Mettez les glaçons colorés dans la baignoire et laissez le bébé tenter de les prendre, de les pousser sous l'eau ou simplement les regarder rebondir.
4. Pelez l'enveloppe des ballons et jetez les formes congelées dans la baignoire. Laissez le bébé explorer les propriétés des ballons congelés.

Types d'apprentissage

- Cause et effet
- Motricité fine
- Permanence de l'objet
- Propriétés scientifiques

5. Coupez les boîtes de lait et placez les blocs congelés dans la baignoire.

Variante

Insérez des petits jouets en plastique dans les glaçons avant de les congeler. À mesure que la glace se liquéfie, le bébé voit les jouets apparaître progressivement. Congelez l'eau en couches de différentes couleurs, puis voyez les couches disparaître une à une avec la fonte de la glace.

Mise en garde

Ne laissez pas votre bébé dans la baignoire sans surveillance. Placez tous les jouets à portée de votre main avant de commencer le jeu. Évitez les figurines et les jouets trop petits qui risqueraient d'étouffer votre bébé s'il les explorait avec sa bouche. Vérifiez la température de l'eau à l'occasion pour que bébé ne prenne pas froid !

Prends un pois

N'est-il pas étonnant de voir que ces petits doigts arrivent à ramasser les plus infimes particules sur la moquette alors qu'il y a très peu de temps ils n'étaient que des appendices inutiles ? Donnez à ces doigts zélés de quoi s'occuper avec le jeu qui suit.

Matériel

- Chaise haute
- Une demi-tasse de pois congelés non décongelés

Marche à suivre

1. Mettez votre bébé dans sa chaise haute et replacez la tablette.
2. Versez une demi-tasse de pois congelés sur la tablette.
3. Laissez le bébé s'amuser à ramasser les pois pour les mettre dans sa bouche.
4. S'il a besoin d'aide pour commencer, montrez-lui à quelques reprises comment s'y prendre.

Types d'apprentissage

- Coordination visuelle-manuelle
- Motricité fine
- Initiation à des saveurs nouvelles
- Apprentissage de l'autonomie : manger

Variante

Remplacez les pois congelés par des fruits congelés (bleuets, framboises).

Mise en garde

Gardez votre bébé à l'œil, car il risque de s'étouffer s'il met une trop grande quantité de pois dans sa bouche.

Boîte à surprises

Les bébés sont souvent captivés par les boîtes à surprises, mais ce jeu devient encore plus amusant quand la surprise revêt les traits de papa ou de maman! Il vous suffit de trouver une grande caisse en carton pour causer une jolie surprise à votre bébé.

Matériel

- Grande caisse
- Vous-même

Marche à suivre

1. Trouvez une caisse assez grande pour vous contenir. Mettez-la dans le salon et entrez dedans.
2. Demandez à l'autre parent d'emmener votre bébé dans la pièce en demandant «Où est maman/papa?» et en chantant la chanson qui suit.

   Le diable à ressort
   Diable, tu es parti,
   Ne sortiras-tu pas pour jouer avec
   moi?
   Diable, tu t'es caché,
   Sors que nous puissions jouer!

3. Le parent caché dans la caisse en jaillit d'un coup après le dernier vers de la chanson.
4. Inversez les rôles des parents et recommencez le jeu.

Types d'apprentissage

- Anticipation et surprise
- Expression émotionnelle
- Permanence de l'objet
- Interaction sociale

Variante

Si vous ne possédez qu'une petite caisse, pratiquez une ouverture dans le fond, glissez-y votre main coiffée d'une marionnette et rabattez ensuite le couvercle de la caisse. Chantez la chanson, puis faites jaillir la marionnette hors de la caisse.

Mise en garde

Surgissez de la caisse lentement pour ne pas effrayer votre bébé. Votre but est de l'étonner et de le ravir, pas de le terrifier!

Mon copain porc-épic

Fabriquez un jouet qui peut s'utiliser de trois façons : comme une marionnette, comme un jouet texturé et comme un exerciseur de petits muscles. Comme le copain porc-épic remplit ces trois fonctions, attendez-vous à passer beaucoup de temps avec votre bébé et ce jouet amusant.

Types d'apprentissage

- Motricité fine
- Acquisition du langage
- Exploration sensorielle
- Aptitudes sociales

Matériel

- Gant de jardinage
- Fausse fourrure
- Aiguille et fil
- Chutes de tissu

Marche à suivre

1. Cousez de la fausse fourrure au dos d'un gant de jardinage pour figurer les « piquants » du porc-épic.
2. Cousez des chutes de tissu sur toute la surface du gant afin de créer une variété de textures.
3. Fabriquez des yeux, un nez et une gueule et d'autres détails avec des bouts de tissu.
4. Enfilez le gant pour animer le porc-épic. Chantez, parlez et faites bouger la marionnette autour du bébé.
5. Laissez le bébé enfiler la marionnette à son tour.

Variante

Au lieu d'un porc-épic, fabriquez l'animal favori de votre bébé avec des chutes de tissu, des crayons feutres et un brin d'imagination. Décorez les deux gants si vous voulez un garçon et une fille, un papa et une maman ou une paire d'animaux.

Mise en garde

Cousez les chutes de tissu solidement pour éviter tout incident.

Drôle de mouche

La conscience du corps constitue une partie importante de son développement, tandis que votre bébé apprend à s'asseoir, à ramper, à marcher d'abord à quatre pattes, puis debout. Dans ce jeu amusant, votre bébé découvre son corps tout en cherchant la drôle de mouche!

Types d'apprentissage

- Conscience du corps
- Permanence de l'objet
- Résolution de problèmes
- Interaction sociale
- Poursuite visuelle

Matériel

- Siège de bébé ou plancher
- Petits autocollants colorés

Marche à suivre

1. Déshabillez votre bébé en ne lui laissant que sa couche.
2. Installez-le dans son siège ou par terre s'il peut rester assis.
3. Asseyez-vous en face de lui et placez une série de petits autocollants colorés à votre portée.
4. Montrez un autocollant au bébé, puis collez-le rapidement sur son corps sans lui montrer d'avance à quel endroit. Vous pouvez dissimuler l'autocollant entre deux doigts avant de le coller sur le corps du bébé.

5. Retirez votre main et demandez au bébé : «Où est l'autocollant?»
6. Faites mine de chercher l'autocollant sur son corps. Examinez ses mains et dites : «Non, pas ici!» Cherchez-le sur ses bras et dites : «Non, pas ici!» Continuez vos recherches jusqu'à ce que vous le trouviez. Exclamez-vous : «Le voici!» et montrez-le à votre bébé.
7. Recommencez en plaçant l'autocollant à un endroit différent chaque fois.
8. Après un certain temps, donnez au bébé la possibilité de chercher l'autocollant lui-même. Donnez-lui des indices au besoin.

Variante

Placez des autocollants sur votre corps et laissez votre bébé les chercher avec votre aide.

Mise en garde

Comme les autocollants sont petits, assurez-vous que votre bébé ne les met pas dans sa bouche, car il pourrait les avaler.

Flotte ou coule

À cet âge où votre bébé appréhende de mieux en mieux comment fonctionne le monde, vous pouvez l'aider à classer les objets en fonction de leurs similitudes. À cet âge, votre bébé pense que ces différences et ces similarités sont magiques, mais il apprendra vite qu'elles possèdent toutes une explication scientifique.

Types d'apprentissage

- Exploration scientifique
- Classification

Matériel

- Cinq objets lourds : cailloux, boîtes de conserve, cuillères, clochettes, porte-clés, etc.
- Cinq objets pouvant flotter : jouets en plastique, brosse à cheveux, éponges, petite balle, etc.
- Baignoire de bébé

Marche à suivre

1. Remplissez d'eau chaude une baignoire de bébé et mettez-y votre bébé lentement.
2. Mettez un objet flottant dans l'eau et dites : «Il flotte!»
3. Après une minute, mettez un objet lourd dans la baignoire et dites : «Il coule!»
4. Alternez les objets lourds et les objets flottants pour capter l'intérêt du bébé, puis laissez-le jeter lui-même les objets dans la baignoire.

Variante

Mettez un à un tous les objets flottants dans la baignoire et regardez-les flotter. Puis mettez-y un objet lourd et observez l'étonnement du bébé en le voyant couler à pic. Recommencez et expliquez-lui ce phénomène.

Mise en garde

Ne laissez jamais votre bébé sans surveillance quand il est dans l'eau ou près de l'eau.

Boule de neige

Comme votre bébé se familiarise peu à peu avec les multiples textures présentes dans son environnement, offrez-lui de nouvelles expériences pour enrichir son univers. Utilisez de la vraie neige pour ce jeu ou fabriquez-en dans votre mélangeur.

Matériel

- Neige propre
- Chaise haute
- Serviette
- Colorant alimentaire (facultatif)

Marche à suivre

1. Ramassez de la neige propre ou fabriquez-en en mettant des glaçons dans le mélangeur et en les réduisant en cristaux mous.
2. Mettez votre bébé dans sa chaise haute et replacez la tablette.
3. Versez une tasse de neige sur la tablette.
4. Laissez le bébé explorer les propriétés de la neige avec ses mains et sa bouche.
5. S'il hésite à toucher la neige, montrez-lui comment jouer avec cette étrange substance froide.
6. Quand la neige est presque fondue, essuyez-la et versez une autre tasse de neige sur la tablette.

Types d'apprentissage

- Cognition et réflexion
- Motricité fine
- Propriétés de la neige: sensations tactiles, texture, température

Variante

Pour stimuler votre bébé visuellement, ajoutez quelques gouttes de colorant alimentaire à la neige. Donnez-lui des jouets pour agrémenter le jeu: tasse ou cuillère, poupée en plastique, petite balle, etc.

Mise en garde

Si vous utilisez de la vraie neige, assurez-vous qu'elle est propre, car le bébé en mettra sûrement dans sa bouche.

Comprimables

Pendant cette période de sa vie, votre bébé développe sa motricité globale, mais il exerce aussi ses aptitudes motrices fines tandis que ses minuscules doigts explorent températures, textures et sensations diverses.

Matériel

- Divers objets comprimables : pâte à modeler, terre glaise, guimauves, éponges, jouets comprimables, balles antistress
- Chaise haute

Types d'apprentissage

- Classification
- Développement cognitif
- Exploration sensorielle: toucher
- Motricité fine

Marche à suivre

1. Rassemblez une variété d'objets comprimables y compris quelques jouets sonores.
2. Mettez votre bébé dans sa chaise haute et replacez la tablette.
3. Placez un objet comprimable sur la tablette et laissez le bébé l'explorer. Encouragez-le à le presser et à sentir sa texture, sa résistance, sa température, et ainsi de suite.
4. Après quelques minutes, remplacez-le par un autre objet comprimable.
5. Continuez jusqu'à ce que le bébé ait exploré tous les objets comprimables.

Variante

Dissimulez les objets dans des chaussettes minces, déposez-les tous ensemble sur la tablette et laissez le bébé explorer leurs différences et leurs ressemblances à travers le tissu.

Mise en garde

Surveillez votre bébé pour vous assurer qu'il ne mange pas les objets.

Joyeuse bascule

Pendant ses premiers mois, votre bébé a du mal à maîtriser son équilibre. Au début, il peut à peine supporter sa grosse tête, mais bientôt il affrontera joyeusement les difficultés posées par les jeux comme Joyeuse bascule.

Types d'apprentissage

- Équilibre
- Développement de la confiance
- Interaction sociale

Matériel

- Petite serviette
- Votre jambe

Marche à suivre

1. Mettez une petite serviette sur votre cuisse en guise de coussin.
2. Asseyez votre bébé en face de vous sur votre cuisse.
3. Tenez-le par les bras, puis glissez vos mains le long de ses bras de manière à le tenir légèrement par les doigts.
4. Déplacez lentement votre jambe tout en maintenant le bébé en équilibre sur celle-ci.
5. Essayez de lâcher une main puis l'autre tout en maintenant le bébé en équilibre. Mais tenez-vous prêt à l'attraper au besoin!

Variante

Mettez le bébé dos à vous et reprenez le jeu.

Mise en garde

Tenez bien votre bébé et soyez prêt à l'attraper au cas où il perdrait l'équilibre.

Touche et nomme

L'environnement de votre bébé stimule ses cinq sens de toutes sortes de façons. Donnez-lui une grande variété d'objets fascinants à explorer et il s'amusera comme un petit fou avec ses mains et sa bouche.

Matériel

- Une variété de ses aliments favoris
- Chaise haute
- Toile en plastique pour couvrir le sol

Marche à suivre

1. Préparez de petites quantités d'aliments intéressants à toucher, goûter et sentir comme de la gelée de fruits, du yaourt, du beurre d'arachide, une banane, des céréales pour enfants, du gruau, des spaghettis, etc.
2. Étendez une toile en plastique sous la chaise haute.
3. Mettez le bébé dans sa chaise et placez un aliment devant lui.
4. Laissez-le jouer avec l'aliment pendant quelques minutes et l'explorer avec ses mains et sa bouche.
5. Retirez l'aliment et offrez-lui-en un deuxième.
6. Observez son expression tandis qu'il examine chaque nouvel aliment. Ne manquez pas de nommer et de décrire l'aliment en le plaçant devant lui.

Types d'apprentissage

- Conscience de l'environnement
- Motricité fine
- Expérience scientifique

Variante

Donnez à votre bébé un seul aliment en grande quantité afin qu'il puisse peindre avec les doigts, le tripoter, le frapper, l'écrabouiller et s'amuser.

Mise en garde

Surveillez votre bébé pour éviter qu'il ne s'étouffe avec les aliments.

Surprise au bout du tunnel

Lorsque votre bébé commence à se déplacer dans la pièce, redoublez son plaisir de bouger en lui faisant traverser un tunnel. Il découvrira une nouvelle façon de se déplacer et la surprise qui l'attend au bout du tunnel! Tout ce qu'il vous faut, c'est une grande caisse.

Types d'apprentissage

- Cognition et réflexion
- Perception de la profondeur
- Permanence de l'objet
- Résolution de problèmes

Matériel

- Caisse en carton un peu plus grosse que le bébé
- Petite couverture de bébé

Marche à suivre

1. Trouvez une caisse en carton assez grosse pour que votre bébé puisse y ramper sans difficulté. Découpez les deux extrémités pour en faire un tunnel.
2. Posez le bébé sur le sol à une extrémité du tunnel.
3. Placez-vous à l'autre bout du tunnel et appelez-le. Encouragez-le à entrer dans la caisse. S'il a besoin d'aide, tendez le bras et tirez-le doucement vers vous.
4. Recommencez plusieurs fois.
5. Masquez l'ouverture de votre côté avec une couverture pour que le bébé ne vous voie pas, puis tendez les bras vers lui et tirez-le vers vous.

Variante

Asseyez votre bébé sur le sol et placez la caisse sur lui. Regardez-le par l'ouverture du haut, puis enlevez la caisse en criant: «Coucou!»

Mise en garde

Choisissez une caisse assez grande et ne laissez pas votre bébé seul, car il pourrait prendre peur.

En haut, en bas

Ramper semble être l'activité préférée de votre bébé pendant cette période de sa vie. Le jeu qui suit l'aidera à s'améliorer tout en lui apprenant de nouvelles façons de se déplacer ainsi qu'à monter et à descendre.

Types d'apprentissage

- Exploration
- Motricité globale
- Résolution de problèmes

Matériel

- Escalier
- Jouets attrayants

Marche à suivre

1. Choisissez un escalier que votre bébé pourra escalader facilement. Les marches recouvertes de tapis sont préférables aux marches lisses.
2. Asseyez-vous au bas de l'escalier avec votre bébé et placez un jouet sur la première marche. Laissez le bébé tendre la main vers le jouet pour le prendre.

3. Posez un jouet sur la deuxième marche et attirez l'attention de votre bébé sur lui.
4. Au moment où il tend la main vers le jouet, apprenez-lui à grimper en fléchissant le genou et en prenant appui sur la marche avec ses mains.
5. Lorsqu'il s'est emparé du jouet, mettez-en un autre sur la marche supérieure.

Variante

Lorsque votre bébé aura atteint le haut de l'escalier, montrez-lui comment redescendre. Comme les bébés ne comprennent pas le principe de la réversibilité, vous devrez lui montrer comment tendre le pied vers le bas et se laisser glisser d'une marche à l'autre.

Mise en garde

Placez des garde-fous au haut et au bas de l'escalier quand vous ne l'utilisez pas pour apprendre à votre bébé à monter et à descendre.

Petit oiseau

Votre bébé se transforme en super-bébé lorsqu'il vole dans les airs sur les genoux les plus solides qui soient... en l'occurrence les vôtres. Les bébés adorent voler aussi haut que les petits oiseaux sur les pieds de leurs parents!

Types d'apprentissage

- Équilibre
- Perception de la profondeur
- Motricité fine
- Interaction sociale et confiance

Matériel

- Vos pieds, propres
- Chaussettes

Marche à suivre

1. Enfilez des chaussettes douces pour augmenter le confort de votre bébé.
2. Couchez-vous sur le dos à côté de votre bébé.
3. Soulevez-le et couchez-le sur la plante de vos pieds en orientant sa tête vers vous. Tenez-le par les bras.
4. Une fois le bébé confortablement installé et rassuré, remuez les jambes de l'avant à l'arrière pour le faire voler.
5. Utilisez votre imagination en bougeant les pieds pour procurer au bébé différentes sensations.

Variante

Allongez votre bébé sur vos jambes plutôt que sur vos pieds pour lui donner plus de stabilité.

Mise en garde

Tenez bien votre bébé et assurez-vous qu'il est bien en équilibre sur vos pieds. Faites des mouvements lents et doux pour qu'il se sente en sécurité tout en volant.

Où est-il passé ?

Comme vous ne pourrez bientôt plus leurrer votre bébé avec le jeu qui suit, mieux vaut en profiter et y jouer dès maintenant. Lorsque le jouet disparaît, observez votre bébé tandis qu'il tente de deviner où il est passé et ce qui viendra ensuite.

Types d'apprentissage

- Anticipation et surprise
- Cause et effet
- Permanence de l'objet
- Résolution de problèmes

Matériel

- Tube d'essuie-tout ou tube-cadeau
- Marqueurs indélébiles, autocollants et autres objets décoratifs (facultatif)
- Petite balle, auto ou jouet pouvant être inséré dans le tube
- Siège de bébé

Marche à suivre

1. Si vous le désirez, décorez un tube d'essuie-tout ou un tube-cadeau avec des marqueurs indélébiles, des autocollants et d'autres objets décoratifs pour le rendre plus attrayant.
2. Placez le tube et un petit objet (balle, automobile ou jouet) sur le sol.
3. Mettez le bébé dans son siège posé par terre et asseyez-vous à côté de lui.
4. Appuyez une extrémité du tube sur les genoux du bébé et levez l'autre de manière à former un angle de 45 degrés.

Variante

Laissez tomber plusieurs jouets en même temps dans le tube ou variez le type de jouet. Encouragez votre bébé à jeter le jouet dans l'ouverture du tube pour qu'il atterrisse sur vos genoux.

Mise en garde

Ne choisissez pas des jouets trop petits que votre bébé risquerait d'avaler.

DE 9 À 12 MOIS

Rien ne peut plus arrêter votre bébé maintenant. Il se déplace rapidement en se tenant aux meubles, il marche, il court et quoi encore? À mesure que ses capacités se développent, vous pouvez enrichir et améliorer ses interactions avec son univers de multiples façons.

Comme il apprend à maîtriser ses mouvements, offrez-lui maints jeux qui l'obligent à utiliser ses capacités motrices globales. Les bébés adorent grimper et chercher comment se déprendre quand ils sont coincés. Dans le temps de le dire, votre bébé grimpera jusqu'à la jarre à biscuits, aussi n'oubliez pas de mettre les produits nocifs et objets de valeur sous clé avant qu'il ne mette la main dessus. Donnez-lui beaucoup de temps pour se déplacer librement: ce n'est pas le moment de l'enfermer dans un parc sauf si vous devez le laisser seul quelques minutes.

Comme votre bébé développe aussi ses capacités motrices fines, donnez-lui des activités à faire avec les doigts. Il peut par exemple tenir un crayon feutre et il adore colorier... Il prend tout ce qui lui tombe sous la main! Comme il aime aussi ramasser de menus objets, donnez-lui de petites portions d'aliments qu'il peut manger seul. N'oubliez pas la cuillère et la tasse, car il se nourrit de mieux en mieux par lui-même.

Votre bébé sollicite la totalité de ses facultés cognitives lorsqu'il s'efforce de résoudre ses problèmes, apprend le fonctionnement des choses et explore une part de plus en plus grande de son univers. Il prononcera ses premiers mots à un an, ou plus tôt encore, et il bavardera bientôt comme une pie. Continuez de lui apprendre de nouveaux mots et multipliez les jeux de langage pour enrichir son vocabulaire et le préparer à parler.

Votre bébé possède un solide sens du soi et sait ce qui est «à moi». C'est un trait positif qui n'en fait pas un être égoïste pour autant. Il essaie simplement de saisir quelle est sa place dans le monde. Appelez souvent votre bébé par son nom, collez ses dessins sur la porte du réfrigérateur, donnez-lui une glace pour se regarder et voyez comme il s'attache à un jouet particulier. Comme il est à un âge où il adore avoir des amis, trouvez-lui des compagnons de jeu. Ses émotions se raffinent et il peut ressentir de la colère, de la tristesse, de la joie ainsi que de la honte, de l'embarras et de la jalousie. Laissez-le exprimer ses émotions et aidez-le à trouver les mots justes.

Soyez vigilant! Votre bébé est déchaîné et impatient de jouer à quelques-uns des jeux plus complexes que voici.

Gazouillis de bébé

Votre bébé parlera bientôt, mais avant qu'il ne cesse de produire de drôles de petits cris, enregistrez-les sur une cassette que vous pourrez réécouter au fil des ans.

Matériel

- Magnétophone et cassette
- Siège de bébé

Types d'apprentissage

- Acquisition du langage et du vocabulaire
- Capacité d'écouter
- Identité personnelle
- Expression vocale

Marche à suivre

1. Insérez une cassette vierge dans un magnétophone portable.
2. Installez le bébé dans son siège et asseyez-vous à côté de lui.
3. Mettez le magnétophone en marche, parlez au bébé et faites des bruits avec votre bouche pour l'inciter à vous répondre.
4. Observez une pause à l'occasion pour lui donner la chance de vous répondre.
5. Lorsque vous aurez tous deux émis de drôles de bruits, rembobinez la cassette et faites-la écouter au bébé.
6. Conservez la cassette et faites-la écouter à l'enfant quand il aura grandi. (En présence de son ami ou amie de cœur peut-être!)

Variante

Faites jouer une chanson simple et chantez en même temps. Encouragez votre bébé à chanter avec vous et enregistrez votre duo. Une fois le concert terminé, repassez la bande.

Mise en garde

Ne mettez pas le volume trop fort pour ne pas abîmer l'ouïe de votre bébé.

Sonnent les cloches

Dans cette version musicale du jeu de cache-cache, votre bébé doit trouver les clochettes cachées. Ce n'est pas très malin puisqu'il lui suffit de les écouter sonner.

Matériel

- Jouet mou contenant une clochette ou bracelet de grelots
- Diverses cachettes comme des oreillers, des jouets mous et des couvertures

Types d'apprentissage

- Cause et effet
- Développement cognitif
- Capacité d'écouter

Marche à suivre

1. Trouvez un jouet contenant une clochette ou fabriquez un bracelet de grelots. (Les grosses clochettes présentent moins de danger et sont plus faciles à saisir.)
2. Mettez votre bébé par terre et entourez-le d'une variété de cachettes potentielles : oreillers, jouets mous et couvertures.
3. Montrez les clochettes au bébé et agitez-les pour lui faire entendre leur son.
4. À son insu, dissimulez les clochettes dans l'une des cachettes.
5. Demandez au bébé : «Où sont les clochettes?»
6. Soulevez un à un les objets servant de cachette et secouez-les. Lorsque vous soulevez l'objet qui dissimule les clochettes, secouez-le, mais sans montrer les clochettes au bébé.
7. Voyez l'expression du bébé changer lorsqu'il entend les clochettes.
8. Découvrez les clochettes en disant : «Les clochettes sont ici!»
9. Recommencez le jeu en variant les cachettes.

Variante

Dissimulez les clochettes à divers endroits de la pièce, puis cherchez-les à quatre pattes. Secouez les objets qui se trouvent sur votre chemin jusqu'à ce que vous trouviez les clochettes.

Mise en garde

Assurez-vous que les clochettes sont solidement fixées à leur support pour éviter que votre bébé ne les avale.

Chasse la luciole

Comme votre bébé se déplace de plus en plus, il apprécie les jeux de poursuite. En voici un qui lui donnera la bougeotte, tandis qu'il s'efforcera d'attraper la «luciole» qui voltige sur le mur de la chambre à coucher.

Matériel

- Carton
- Ciseaux
- Lampe de poche
- Ruban adhésif

Types d'apprentissage

- Cause et effet
- Locomotion et coordination
- Motricité

Marche à suivre

1. Découpez la silhouette d'un insecte comme une luciole dans du carton. La forme doit être assez petite pour pouvoir être collée sur le verre d'une lampe de poche.
2. Collez la silhouette sur le verre avec du ruban adhésif.
3. Installez-vous confortablement avec votre bébé dans une chambre à coucher et éteignez les lumières.
4. Allumez la lampe de poche et dirigez le faisceau lumineux sur le mur qui se trouve près du bébé.
5. Déplacez le faisceau lentement afin d'attirer l'attention du bébé.
6. Encouragez le bébé à attraper la luciole qui voltige sur le mur.
7. Éloignez lentement le faisceau du bébé quand il s'en approche pour attraper la luciole.

Variante

Laissez votre bébé «attraper» la luciole de temps en temps en éteignant la lampe de poche pendant une seconde, puis en la rallumant et en dirigeant son rayon ailleurs pour faire apparaître une seconde luciole. Laissez votre bébé tenir la lampe de poche à son tour.

Mise en garde

Rassurez votre bébé si l'obscurité l'effraie.

Gentils doigts

Tout en apprenant à maîtriser ses gros muscles, votre bébé développe aussi sa maîtrise de ses petits muscles, en particulier ceux des doigts. Jouez aux Gentils doigts et amusez-vous avec vos doigts.

Matériel

- Gant propre et de couleur claire
- Crayons feutres indélébiles
- Ciseaux

Marche à suivre

1. Trouvez un gant propre de couleur claire qui épouse parfaitement la forme de votre main.
2. Dessinez de drôles de figures au bout des doigts en vous servant de crayons feutres indélébiles. Les figures peuvent représenter des êtres chers : maman et papa, le petit frère ou la petite sœur, le bébé, d'autres membres de la famille, le chien ou le chat, et ainsi de suite.
3. Avec les ciseaux, coupez les doigts.
4. Glissez chaque Gentil doigt sur un de vos doigts et présentez un spectacle de marionnettes au bébé. Faites bouger vos doigts en récitant la comptine ci-dessous.

Types d'apprentissage

- Motricité fine
- Acquisition du langage
- Interaction sociale

Toc, toc, toc, Pouce

Petit Pouce dort bien au chaud. (Le pouce est caché dans le poing.)

– Toc, toc, toc, Pouce, c'est l'heure! (L'autre poing frappe dessus.)

– Je ne veux pas me lever!

– Toc, toc, toc, Pouce, c'est l'heure!

– Bon, bon, d'accord, je sors! (Montrez le pouce.)

Bonjour papa, bonjour maman, bonjour grand frère, bonjour p'tite sœur.

Tout le monde est levé, on va déjeuner. (Le pouce touche chaque doigt l'un après l'autre.)

Variante

Glissez les Gentils doigts aux doigts du bébé et laissez-le les explorer.

Mise en garde

Assurez-vous que votre bébé ne met pas les marionnettes dans sa bouche, car il risquerait de s'étouffer.

Alouette, gentille alouette

Pour familiariser encore davantage votre bébé avec les différentes parties de son corps, jouez à ce jeu musical simple. Il sera captivé tandis qu'il essaiera de trouver son nez.

Matériel

- Plancher ou siège de bébé
- Votre voix

Marche à suivre

1. Déshabillez votre bébé en ne lui laissant que sa couche.
2. Mettez-le par terre ou dans son siège et asseyez-vous devant lui.
3. Chantez la chanson ci-dessous en mettant le doigt du bébé sur les parties de son corps désignées.

Alouette

Alouette, gentille alouette
Alouette, je te plumerai.
Je te plumerai la tête, je te plumerai la
  tête
Alouette, alouette, ah!
(Continuez en remplaçant «tête» par: nez, menton, bras, jambe, lèvres, hanches, cou, dos, etc.)

Types d'apprentissage

- Motricité fine et globale
- Apprentissage des parties du corps
- Acquisition du langage

Variante

Au lieu de placer le doigt du bébé sur son corps, placez-y son coude, son genou, sa main, son pied ou d'autres parties.

Mise en garde

Jouez doucement afin que votre bébé s'amuse sans se faire mal.

Bols gigognes

À ce stade-ci, votre bébé tente encore de comprendre comment fonctionne son univers. Jouez ensemble au jeu des bols gigognes dans la cuisine. Pendant que vous lui préparez un goûter, il pourra exercer ses nouveaux talents!

Matériel

- Trois bols en plastique (ou plus) de tailles diverses et pouvant s'emboîter
- Bac de plastique carré ou rectangulaire

Marche à suivre

1. Posez trois bols en plastique (ou plus) emboîtés les uns dans les autres sur le sol de la cuisine. Placez un bac carré ou rectangulaire non loin de là, hors de la vue du bébé.
2. Asseyez le bébé par terre à côté des bols.
3. Montrez-lui comment sortir les bols et comment les emboîter de nouveau en fonction leur taille.
4. Donnez au bébé le temps d'explorer les bols, de comprendre comment ils s'emboîtent et de s'amuser à les séparer et à les remboîter.
5. Lorsque votre bébé a compris comment assembler les bols, séparez-les et donnez-lui le bac rectangulaire. Voyez ce qu'il fait de cet objet insolite.

Types d'apprentissage

- Cause et effet
- Développement cognitif
- Motricité fine et globale
- Sériation: classement d'objets selon un certain ordre

Variante

Si vous le désirez, achetez un jeu de blocs ou de bols gigognes dans un magasin de jouets. Pour étonner votre bébé encore davantage, offrez-lui un ensemble de poupées russes. Chaque fois qu'il ouvrira une poupée, il verra apparaître une nouvelle poupée! Vous pouvez aussi utiliser des boîtes en guise d'objets gigognes.

Mise en garde

Donnez au bébé des objets en plastique de préférence aux objets en verre ou en métal pour qu'il ne se blesse pas. Si vous lui donnez des poupées en bois, assurez-vous qu'il ne les casse pas, ne les met pas dans sa bouche et ne s'enfonce pas d'échardes dans la peau.

Passe la rivière

À ce stade-ci de sa vie, votre bébé a des fourmis dans les jambes. Il commence par ramper, puis il marche à quatre pattes puis debout, et alors rien ne peut plus l'arrêter. Créez un parcours semé d'obstacles qui sollicitera sa capacité de résoudre des problèmes.

Types d'apprentissage

- Exercice et coordination
- Motricité globale
- Résolution de problèmes

Matériel

- Petits obstacles tels que des oreillers, des couvertures, des poupées, des animaux en peluche, des blocs, des boîtes, des chaises, des tables, etc.

Marche à suivre

1. Créez une course d'obstacles en plaçant des objets souples, faciles à manœuvrer et de petite taille dans un corridor ou une pièce de dimensions réduites.
   - Disposez en rangée des oreillers que le bébé pourra escalader.
   - Étendez une couverture sur le plancher pour qu'il puisse ramper.
   - Empilez des poupées et des animaux en peluche sur lesquels il grimpera.
   - Formez une petite barricade au moyen de blocs pour augmenter la difficulté du parcours.
   - Placez de grosses caisses ouvertes aux deux extrémités en guise de tunnels.
   - Renversez une chaise ou une petite table au centre du parcours.
2. Mettez votre bébé à une extrémité du corridor et placez-vous à l'autre bout, là où il pourra vous voir.
3. Appelez le bébé et invitez-le à franchir le parcours en entier en se traînant, en rampant ou en marchant.
4. Ne ménagez pas vos encouragements. Aidez-le verbalement ou physiquement s'il a du mal à franchir un obstacle. Déplacez les obstacles au besoin s'il est coincé.
5. Applaudissez chaudement quand il aura terminé le parcours.

Variante

Lorsque votre bébé aura terminé le parcours, disposez les obstacles d'une manière différente et recommencez le jeu. Au début, utilisez des obstacles simples et peu nombreux, puis augmentez la difficulté à mesure que le bébé grandit. Trouvez des obstacles qu'il devra franchir en grimpant, en se comprimant, en sautant, en se tortillant, et ainsi de suite.

Mise en garde

Évitez tout objet muni d'arêtes pointues ou de surfaces dures, surtout si votre bébé doit entrer en contact avec lui. (Par exemple, une chaise ou une table conviennent en autant que votre bébé passe en dessous et non par-dessus.)

Jeu de souffle

Votre bébé doit maintenant s'exercer en vue de son premier anniversaire! Préparez-le à la tâche cruciale qui consiste à souffler les bougies de son premier gâteau d'anniversaire avec le jeu qui suit.

Matériel

- Petits objets légers qui réagissent bien au souffle: boules de coton, plumes, morceaux de tissus légers, flocons de maïs, guimauves miniatures, etc.
- Paille en plastique
- Chaise haute

Marche à suivre

1. Mettez votre bébé dans sa chaise haute et replacez la tablette.
2. Placez un objet léger sur celle-ci.
3. Soufflez dessus pour montrer au bébé comment il bouge.
4. Laissez le bébé vous imiter.
5. Lorsqu'il aura réussi à souffler sur un objet, remplacez-le par un autre.
6. Dès que le bébé pourra souffler par la bouche sans difficulté, montrez-lui comment souffler sur les objets à travers une paille.

Types d'apprentissage

- Cause et effet
- Exploration du poids et des propriétés des objets
- Maîtrise de la bouche et du souffle

Variante

Mettez la paille dans une tasse de lait et montrez à votre bébé comment faire des bulles. Ou lancez un concours de souffle: asseyez-vous en face du bébé et soufflez un objet dans sa direction. Quand il l'aura renvoyé vers vous, soufflez-le de nouveau vers lui. Continuez jusqu'à ce que l'objet s'envole hors de la tablette.

Mise en garde

Assurez-vous que votre bébé n'avale pas les petits objets et qu'il ne se blesse pas avec la paille en plastique.

Tire-pousse

Comme votre bébé apprend à se tenir sur ses jambes chancelantes, offrez-lui des objets à pousser et à tirer. Tout en se concentrant sur son nouveau jouet, il se tiendra sur ses jambes et s'habituera à marcher.

Matériel

- Objets à pousser: tondeuse jouet, poussette de marché ou landau de bébé
- Objets à tirer: wagon de train, jouet mobile fixé à une corde ou animal en peluche muni d'une laisse
- Surface de plancher

Marche à suivre

1. Trouvez des jouets à pousser et à tirer. Vous pouvez les acheter ou les fabriquer vous-même avec un brin d'ingéniosité.
2. Dégagez un espace assez grand, de préférence sans tapis ou recouvert d'un tapis à poils ras afin de faciliter les mouvements du bébé.
3. Comme il est plus facile de pousser que de tirer, donnez d'abord au bébé un objet à pousser. Placez ses mains sur les poignées et guidez-le jusqu'à ce qu'il arrive à pousser seul.

Types d'apprentissage

- Cause et effet
- Exploration
- Motricité globale
- Indépendance

4. Lorsque le bébé s'est amusé à pousser des objets pendant quelque temps, montrez-lui les objets à tirer, qui exigent une autre sorte d'effort. S'il marche encore en se tenant aux meubles, mettez la poignée du jouet dans sa main et montrez-lui comment avancer en s'accrochant à vous ou aux meubles.

Variante

Si votre bébé ne marche pas encore seul ou en s'agrippant aux meubles, tenez ses mains sur les poignées des jouets et marchez avec lui. Nouez une corde lâche autour de sa taille et fixez un animal en peluche à l'autre extrémité. Le bébé tirera le jouet tout en rampant.

Mise en garde

Surveillez votre bébé pour l'attraper s'il tombe, mais évitez de le surprotéger, car cela l'empêcherait d'explorer à fond ce qu'il peut faire avec son corps et ses nouveaux jouets.

Glissante glissoire

Votre bébé marchera bientôt. Entre-temps, il adore faire toutes sortes de trucs avec son corps tout en apprenant à maîtriser ses gros muscles, son équilibre et sa coordination motrice. Fabriquez-lui une glissoire pour mettre à l'épreuve ses nouveaux talents!

Types d'apprentissage

- Équilibre et coordination
- Cause et effet
- Motricité globale

Matériel

- Grosse caisse en carton
- Ciseaux ou autre outil coupant
- Canapé, coussins et sol recouvert de tapis
- Ruban adhésif en toile

Marche à suivre

1. Découpez une grosse caisse en carton de manière à obtenir deux longues bandes. Collez les deux bandes ensemble avec du ruban adhésif en toile pour renforcer votre glissoire.
2. Fixez une extrémité de la glissoire au siège du canapé avec du ruban adhésif en toile.
3. Placez les coussins du canapé sous la glissoire pour la consolider.
4. Placez un autre coussin au bas pour assurer un atterrissage en douceur au bébé.
5. Tenez le bébé en haut de la glissoire et laissez-le glisser doucement sans le lâcher.
6. Recommencez en le tenant chaque fois jusqu'à ce qu'il manifeste le désir d'essayer sans votre soutien.

Variante

Fabriquez la glissoire dans une feuille de plastique transparent que vous pourrez réutiliser à volonté.

Mise en garde

Ne quittez pas votre bébé des yeux lorsqu'il se trouve sur la glissoire.

Vers en spaghettis

Les bébés adorent les trucs dégoûtants. Ils adorent tripoter, écrabouiller et manger tout ce qui a une texture intéressante. Voici une expérience sensorielle amusante qui, de surcroît, fournira des aliments sains à votre bébé!

Matériel

- Spaghettis cuits et refroidis
- Chaise haute

Marche à suivre

1. Mettez votre bébé dans sa chaise haute et replacez la tablette.
2. Versez une poignée de spaghettis refroidis (sans sauce) sur la tablette.

Types d'apprentissage

- Motricité fine et préhension
- Apprentissage de l'autonomie
- Exploration sensorielle: sensations tactiles, textures et température

3. Laissez le bébé les explorer. Il essaiera sans doute de les ramasser, de les pincer, de les écrabouiller, de les pulvériser, de les marteler et de les saisir entre deux doigts avant de les mettre dans sa bouche.
4. S'il les lance par terre, montrez-lui comment les laisser tomber sur la tablette.

Variante

Essayez une variété de pâtes: rigatonis, coquillettes, macaronis, manicottis, lasagnes.

Mise en garde

Surveillez votre bébé pour vous assurer qu'il ne met pas trop de pâtes dans sa bouche.

Silhouettes en éponge

Les enfants de tout âge adorent jouer dans l'eau. Rehaussez le plaisir de cette période de jeux aquatiques extravagants grâce aux silhouettes en éponge : elles sont colorées, créatives et amusantes dans la baignoire. De plus, elles sont faciles à fabriquer !

Types d'apprentissage

- Couleurs et formes
- Stimulation sensorielle
- Interaction sociale

Matériel

- Éponges colorées
- Ciseaux
- Baignoire remplie d'eau

Marche à suivre

1. Découpez des formes primaires dans des éponges colorées : cercles, carrés, rectangles et triangles.
2. Remplissez la baignoire d'eau chaude et asseyez-y votre bébé.
3. Jetez les éponges dans l'eau et donnez-lui le temps de les explorer.
4. Après quelque temps, prenez une éponge et collez-la sur la paroi intérieure de la baignoire. Si vous la tordez bien, elle y adhérera comme par magie.
5. Collez d'autres éponges sur la paroi de la baignoire et laissez le bébé les décoller.
6. Parlez des formes tout en jouant avec elles.

Variante

Taillez des formes d'animaux ou des lettres dans les éponges.

Mise en garde

Ne laissez jamais votre bébé sans surveillance dans la baignoire et vérifiez régulièrement la température de l'eau.

Jouets collants

Maintenant que votre bébé est capable de ramasser ses jouets, compliquez-lui la tâche quelque peu et voyez s'il parvient à résoudre son problème.

Matériel

- Papier contact transparent
- Divers jouets de petite taille

Marche à suivre

1. Découpez une bande de papier contact transparent d'environ 60 cm de longueur.
2. Retirez la pellicule protectrice.
3. Mettez la bande de papier sur le sol, côté collant sur le dessus.
4. Déposez quelques jouets de petite taille sur la bande : bloc, poupée en plastique, balle, etc.
5. Installez le bébé près des jouets.
6. Faites mine de soulever un jouet et montrez au bébé que vous n'y arrivez pas. Demandez son aide.
7. Observez-le tandis qu'il se creuse la tête pour trouver comment décoller les jouets du papier.

Types d'apprentissage

- Cause et effet
- Motricité fine et globale
- Résolution de problèmes

Variante

Mettez votre bébé dans sa chaise haute et placez des parcelles d'aliment comme des raisins secs, des céréales ou des craquelins sur le papier collant. Invitez votre bébé à les décoller. Une fois le jeu terminé, laissez votre bébé s'amuser avec le papier collant.

Mise en garde

Surveillez votre bébé au cas où il se couvrirait la figure avec le papier collant. S'il se décourage, montrez-lui comment retirer les jouets du papier.

T-shirt truqué

Tandis que votre bébé s'étonne encore de ce qui lui paraît magique, piquez sa curiosité avec le jeu qui suit. «D'où viennent tous ces trucs?»

Matériel

- Plusieurs foulards ou cravates
- T-shirt d'adulte de grande taille

Marche à suivre

1. Nouez plusieurs foulards ou cravates ensemble de manière à former une longue écharpe.
2. Enfilez un grand t-shirt.
3. Roulez l'écharpe en boule et fourrez-la dans votre t-shirt en en laissant dépasser une extrémité à l'encolure.
4. Asseyez votre bébé dans son siège ou par terre et placez-vous en face de lui.
5. Montrez-lui l'extrémité de l'écharpe et commencez à tirer dessus.
6. Quand l'écharpe est assez longue, donnez-en l'extrémité à votre bébé et encouragez-le à tirer dessus pour l'extraire de votre t-shirt. Aidez-le au besoin.

Types d'apprentissage

- Cause et effet
- Permanence de l'objet
- Interaction sociale

7. Lorsque l'écharpe est sortie en entier, recommencez le jeu.

Variante

Habillez votre bébé d'un grand t-shirt et fourrez-y la longue écharpe. Laissez pendre une extrémité de l'écharpe au bas du t-shirt près du ventre du bébé et tirez dessus. Encouragez votre bébé à tirer aussi. Cette fois-ci, il sentira l'écharpe glisser contre sa peau lorsqu'on tire dessus.

Mise en garde

Gardez votre bébé à l'œil au cas où il entortillerait l'écharpe autour de son corps ou de son cou.

L'aventure des textures

Emmenez votre bébé au Pays des sens et faites-lui vivre l'aventure des textures. Tout en rampant dans son nouveau territoire et en explorant les merveilles du monde, il élargira ses horizons et ses sens s'éveilleront!

Matériel

- Variété de textures : serviette en tissu éponge, drap en plastique, fausse fourrure, manteau de laine, tissu satiné, papier d'aluminium et papier ciré, couvre-matelas en mousse, grand sac de papier, morceau de carton ondulé, etc.
- Vaste surface de plancher

Marche à suivre

1. Sur une grande surface de plancher, étalez les différents matériaux les uns à côté des autres de manière à recouvrir le sol entièrement, si possible. Créez des contrastes afin de relever l'expérience.
2. Mettez votre bébé au bord de la plage texturée et placez-vous de l'autre côté.
3. Encouragez-le à venir vers vous en rampant et observez l'expression de son visage au contact des différentes textures.

Types d'apprentissage

- Cognition et classification
- Exploration sensorielle: sensations tactiles, textures et température
- Motricité globale

Variante

Enveloppez votre bébé dans les matériaux de différentes textures au lieu de le faire ramper dessus. Donnez-lui le temps de bien sentir chaque texture avant de la remplacer par une autre. Parlez des textures tout en jouant.

Mise en garde

Ne laissez pas votre bébé sans surveillance avec les matériaux, car il pourrait les mettre dans sa bouche et s'étouffer.

Drôle de tronche

Ce jeu idiot vous fera rire tous les deux. Pendant que vous rigolerez en voyant vos drôles de tronche, votre bébé apprendra mille et une choses importantes pour son développement. Prenez garde cependant de ne pas conserver à jamais votre figure bizarre!

Matériel

- Ruban adhésif transparent (préférez le ruban mou de rapprochement de 2 cm de largeur qui sert à fabriquer les pansements des enfants)
- Miroir

Marche à suivre

1. Appuyez un miroir contre un mur afin que votre bébé puisse se regarder en jouant.
2. Asseyez-vous devant le miroir et prenez le bébé sur vos genoux.
3. Coupez une bande de ruban adhésif.
4. Faites une grimace dans le miroir et fixez votre expression en place à l'aide du ruban. Utilisez plusieurs morceaux de ruban au besoin pour maintenir votre bouche tordue, vos sourcils haussés, votre nez aplati et vos paupières tombantes.
5. Regardez votre bébé dans le miroir et dites quelque chose de drôle pour aller avec votre drôle de tronche.

Types d'apprentissage

- Expression émotionnelle
- Sens de l'humour
- Interaction sociale
- Toucher et conscience du corps

6. Tournez le bébé pour qu'il vous voie et retirez un à un les morceaux de ruban de votre figure. Laissez-le tenir une extrémité du ruban et tirer dessus.
7. Recommencez et fabriquez d'autres figures comiques.

Variante

Après vous être fabriqué quelques bouilles amusantes, faites-en une ou deux sur la figure de votre bébé. Ou collez un petit morceau de ruban adhésif sur ses bras et ses jambes pour qu'il s'amuse à les décoller.

Mise en garde

Comme les drôles de tronche effraient parfois les bébés, mieux vaut parler au vôtre pendant le jeu pour le rassurer et lui montrer que vous êtes toujours sa maman ou son papa. Si vous collez du ruban sur son visage, allez-y très doucement et ne touchez pas à ses yeux, son nez ou sa bouche. Retirez le ruban doucement et surveillez votre bébé de près pour qu'il ne l'avale pas.

Chambre à air

Votre bébé se met à grimper et à ramper à peu près au même moment. Mettez ses nouveaux talents à l'épreuve en lui donnant sa première chambre à air, tandis qu'il s'exerce à remuer ses nouvelles jambes.

Matériel

- Chambre à air ou anneau de natation

Marche à suivre

1. Placez la chambre à air ou l'anneau de natation sur le sol.
2. Glissez votre bébé à l'intérieur.
3. Donnez-lui le temps de l'explorer et de trouver comment s'en extraire.
4. Quand il parvient à se libérer, félicitez-le. Laissez-le explorer les propriétés de la chambre à air.

Types d'apprentissage

- Exploration
- Motricité globale
- Résolution de problèmes

Variante

Donnez à votre bébé plusieurs chambres à air à explorer. Pour accroître la difficulté, mettez-en deux l'une sur l'autre et laissez votre bébé tenter de s'en extraire en grimpant.

Mise en garde

Si la chambre à air est munie d'une valve proéminente, aplatissez-la et collez-la avec du ruban adhésif en toile pour éviter qu'elle ne blesse votre bébé. S'il a peur à l'intérieur de la chambre à air, montrez-lui comment en sortir. Puis, donnez-lui le temps de l'explorer avant de le remettre dedans.

Traversée du tunnel

Ramper constitue toute une aventure pour votre bébé en croissance et explorer son environnement à quatre pattes lui ouvre tout un monde nouveau. Procurez-lui une expérience nouvelle et stimulante en fabriquant un tunnel simple rempli d'obstacles.

Types d'apprentissage

- Exploration
- Motricité globale
- Résolution de problèmes

Matériel

- Trois caisses en carton assez grandes pour que votre bébé puisse les traverser sans difficulté en rampant
- Ciseaux
- Ruban adhésif en toile
- Animaux en peluche, oreillers ou couverture

Marche à suivre

1. Découpez les rabats des trois caisses et collez celles-ci ensemble pour obtenir un tunnel.
2. Posez le tunnel au milieu de la pièce.
3. Insérez des obstacles dans le tunnel sous forme d'animaux en peluche, de coussins ou d'une couverture (pour rendre le sol plus glissant).
4. Placez le bébé à une extrémité du tunnel et mettez-vous à l'autre bout.
5. Regardez dans le tunnel et appelez le bébé en l'encourageant à ramper vers vous. Attirez-le avec un jouet s'il hésite à s'engager dans le tunnel.
6. Félicitez-le quand il arrive à l'autre bout.
7. Recommencez le jeu et laissez-le explorer le tunnel et s'amuser.

Variante

Lorsque votre bébé n'aura plus peur du tunnel, masquez-en les deux extrémités avec une couverture et laissez-le deviner comment en sortir.

Mise en garde

Si votre bébé a peur de s'aventurer dans le tunnel, ne l'y forcez pas. Laissez le tunnel dans la pièce pendant quelque temps afin qu'il s'y habitue, puis faites une nouvelle tentative. Si votre bébé a peur quand vous couvrez les extrémités, enlevez les couvertures.

Jeu de démolition

Lorsque votre bébé aura appris à construire une tour, il s'amusera à la démolir. Amusez-vous en construisant une tour avec des blocs et gare à votre petit boulet de démolition!

Matériel

- Blocs de grande taille du commerce ou formés de boîtes de lait rectangulaires
- Papier contact coloré (facultatif)
- Grande surface plane

Marche à suivre

1. Achetez des blocs de grande taille ou fabriquez-les en ramassant des boîtes de lait d'un et de deux litres que vous laverez et assécherez et dont vous découperez les extrémités. Rabattez les côtés de façon à obtenir des carrés et des rectangles et collez-les avec du ruban adhésif. Si vous le désirez, recouvrez ces blocs de papier contact coloré.
2. Mettez votre bébé par terre et disposez les blocs autour de lui.
3. Montrez-lui comment construire une tour en empilant les blocs. Encouragez-le à vous imiter.
4. Lorsque la tour est assez haute, laissez le bébé la démolir!
5. Reconstruisez-la encore et encore jusqu'à ce que le bébé se lasse du jeu.

Types d'apprentissage

- Cause et effet
- Cognition et réflexion
- Motricité fine
- Résolution de problèmes

Variante

Empilez divers objets à la place des blocs. Vous pouvez utiliser des jouets, des livres, des boîtes, des craquelins... tout ce qui peut s'empiler.

Mise en garde

Si vous utilisez des objets autres que des blocs, assurez-vous qu'ils ne sont pas trop lourds pour ne pas blesser votre bébé en s'écroulant.

Fermeture éclair et bouton-pression

Bientôt votre bébé pourra se vêtir seul. Vous pouvez l'aider à développer son autonomie grâce au jeu amusant qui suit. Il sera surpris et ravi chaque fois qu'apparaîtra une nouvelle couche de vêtements.

Matériel

- Variété de vêtements munis de fermetures diverses : boutons, fermetures éclair, boutons-pression, bande velcro et cordons
- Votre corps
- Siège de bébé

Marche à suivre

1. Rassemblez plusieurs vêtements munis de fermetures diverses.
2. Enfilez-les les uns sur les autres.
3. Mettez votre bébé dans son siège et asseyez-vous en face de lui.
4. Montrez-lui votre accoutrement bizarre, puis retirez le premier vêtement. Laissez votre bébé vous aider avec la fermeture. Manifestez de l'étonnement chaque fois que vous en venez à bout.

Types d'apprentissage

- Anticipation et surprise
- Cause et effet
- Motricité fine
- Apprentissage de l'autonomie (s'habiller)

5. Enlevez le vêtement suivant et continuez ainsi jusqu'à ce que vous ayez ôté toutes les couches de vêtements.

Variante

Habillez votre bébé plutôt que vous-même, puis ôtez-lui ses vêtements un à un. Ou encore vous pouvez habiller une grosse poupée et la déshabiller ensemble.

Mise en garde

Venez en aide à votre bébé avant qu'il ne se décourage.

DE 12 À 18 MOIS

Cette période constitue un point tournant dans la vie de votre bébé. À cet âge, il s'exprime en mots simples et passe d'un endroit à l'autre presque tout seul. Plus il développe ses capacités, plus son champ d'attention augmente et plus il exige de nouveaux enjeux.

Sur le plan physique, votre bébé se déplace dans la pièce sur des jambes chancelantes ou comme un petit bolide. Il lui arrive de tomber et de récolter quelques ecchymoses, mais ne restreignez pas pour autant ses mouvements, car il a besoin d'explorer et il se sert de son corps tout entier pour le faire. Si vous le surprotégez pendant cette période, il ratera des occasions d'exercer ses aptitudes motrices. Ayez-le à l'œil, cependant car, à cet âge, il vous échappera en moins de deux!

Donnez à votre bébé la possibilité de colorier, de manger et même de s'habiller seul. Cette autonomie vous fera gagner du temps à la longue et donnera à votre bébé le sentiment de compétence et de confiance en lui qui est le fondement d'une bonne estime de soi.

Votre bébé entre dans une phase scientifique où tout se transforme en expérience. S'il commet un acte en apparence stupide comme de marcher sur un clou ou de verser son lait dans son assiette (ou sur le sol), il ne fait sans doute qu'explorer son univers. Essayez de comprendre sa manière de raisonner et vous verrez le monde à travers ses yeux. Cela vous sera très utile puisque votre bébé est très égocentrique à cet âge et peut difficilement comprendre votre point de vue ou celui de qui que ce soit d'autre.

Apprenez de nouveaux mots à votre bébé car, à cet âge, il absorbe le langage comme une éponge. Utilisez le vocabulaire approprié lorsque vous allez au zoo, faites des courses ou changez ses vêtements. Renoncez aux cartes éclair et aux exercices de vocabulaire, et laissez votre bébé apprendre naturellement. S'il se trompe dans sa prononciation, ne le reprenez pas. Servez-lui de modèle et prononcez correctement pour qu'il apprenne à parler sans trop de critiques et d'interruptions.

À mesure que se développent ses aptitudes sociales, les amis occupent une place de plus en plus importante dans la vie de votre bébé. Il apprendra bientôt à partager ses choses et à éprouver de l'empathie pour les autres, et il s'attachera à un être cher ou à un ami extérieur à sa famille. Les poupées et autres jouets lui donnent la possibilité de dispenser son affection, d'élaborer des mises en scène et de comprendre ses émotions.

Lorsque votre bébé exprime ses émotions, enseignez-lui les mots justes. S'il arrive à les énoncer verbalement, il sera moins porté à les décharger physiquement. Il apprend tout juste à maîtriser son comportement, mais comme il s'agit d'une tâche de longue haleine, ne vous attendez pas qu'il y parvienne du jour au lendemain.

Allez, ouste! Votre bébé s'active déjà!

Maison de bébé

Le moment est venu d'installer votre bébé dans sa propre maisonnette pour qu'il prenne conscience de son indépendance toute neuve. Il aura tôt fait de la transformer en château fort, en caverne et même en vaisseau spatial au gré de son imagination fertile.

Types d'apprentissage

- Cognition et réflexion
- Imagination et créativité
- Sens du soi, problèmes relatifs à la séparation
- Relations spatiales

Matériel

- Table à cartes, petit table ou grosse caisse en carton
- Drap, couverture ou toile
- Vaste surface de plancher
- Lampe de poche

Marche à suivre

1. Placez la table à cartes au milieu d'une vaste surface de plancher.
2. Couvrez-la d'un drap ou d'une couverture pour former une maisonnette.
3. Relevez un pan du drap pour faire une porte.
4. Pénétrez à l'intérieur avec votre bébé.
5. Fermez la porte et savourez votre nouvel espace.
6. Lorsque le bébé s'y sentira à l'aise, laissez-le jouer seul dans sa maisonnette.
7. Donnez-lui une lampe de poche si sa maison est trop sombre.

Variante

Dessinez les caractéristiques d'une maison sur le drap ou la caisse pour lui donner une allure plus authentique. Laissez votre bébé y mettre des jouets, des oreillers ou une petite chaise.

Mise en garde

Assurez-vous que votre bébé n'a pas peur d'entrer seul dans sa maison. Relevez un pan de la couverture s'il n'aime pas qu'elle soit entièrement recouverte.

Art corporel

En grandissant, votre bébé s'intéresse de plus en plus à son corps et à ses nombreuses fonctions. L'heure du bain est le moment idéal pour travailler sur son image corporelle et l'initier à l'art corporel.

Matériel

- Tubes de peinture corporelle non toxique de diverses couleurs
- Baignoire

Marche à suivre

1. Remplissez la baignoire d'eau chaude ; n'en mettez pas trop pour que votre bébé puisse s'y asseoir.
2. Asseyez le bébé dans la baignoire et laissez-le s'habituer à l'eau.
3. Ouvrez un tube de peinture et mettez-en quelques gouttes ici et là sur les bras du bébé.
4. Étalez la couleur avec vos doigts et encouragez votre bébé à faire de même.
5. Mettez d'autres couleurs sur d'autres parties de son corps : les mains, les pieds, les jambes, le cou, les épaules, la poitrine et le dos.
6. Laissez le bébé étaler les couleurs, puis rincez-les et recommencez.

Types d'apprentissage

- Créativité
- Conscience de soi
- Stimulation sensorielle

Variante

Entrez dans la baignoire avec votre bébé et laissez-le étaler la peinture sur votre corps !

Mise en garde

Assurez-vous d'utiliser de la peinture non toxique pour enfant. N'en mettez pas dans le visage de votre bébé et, s'il a tendance à s'essuyer la figure avec les mains, n'en mettez pas non plus sur ses mains.

Formule 1

Votre bébé est assez vieux pour effectuer sa première course automobile! Tout ce qu'il vous faut pour fabriquer son premier bolide, c'est une grosse caisse en carton, un peu de peinture et beaucoup d'imagination. Puis, il pourra s'élancer sur la piste!

Types d'apprentissage

- Motricité globale
- Imagination et stimulation
- Aptitudes sociales

Matériel

- Caisse en carton plus large que le torse de votre bébé
- Peinture pour affiches ou crayons feutres
- 90 cm de corde
- Surface de plancher

Marche à suivre

1. Découpez le dessus et le fond de la caisse en carton sans toucher aux côtés.
2. Avec de la peinture ou des crayons feutres, transformez la caisse en voiture en y dessinant portes, phares avant et arrière, grille, roues et ainsi de suite. Si vous le désirez, tracez un visage sur le devant de la voiture. Laissez le bébé vous assister dans ce travail artistique.
3. De chaque côté de la caisse, découpez deux orifices assez grands pour que le bébé puisse y passer les mains et tenir la caisse.
4. Laissez le bébé monter dans sa voiture de carton et courir dans la pièce en faisant semblant de conduire.

Variante

Fixez deux longueurs de corde de l'avant à l'arrière en guise de sangles. Ainsi, la caisse reposera sur les épaules de votre bébé qui n'aura pas besoin de la porter. Décorez la caisse pour lui donner l'apparence d'un animal plutôt que d'une voiture.

Mise en garde

Collez du ruban adhésif en toile sur les bords pour les adoucir, pour rendre la caisse plus facile à manier et pour éviter que le petit ne se coupe avec le carton.

Boîtes gigognes

Voici un jeu qui tient à la fois de la boîte à surprise et de la devinette, et qui piquera la curiosité de votre bébé et le fera rigoler. Prévoyez un jouet spécial à la fin du jeu pour récompenser sa patience!

Types d'apprentissage

- Permanence de l'objet
- Résolution de problèmes
- Tri, classification, sériation

Matériel

- Boîtes de différentes tailles pouvant s'emboîter
- Petit jouet ou surprise

Marche à suivre

1. Rassemblez une variété de boîtes de très grandes tailles et de très petites tailles ainsi que de toutes les tailles intermédiaires.
2. Placez un jouet spécial ou une surprise dans la plus petite boîte.
3. Fermez-la et insérez-la dans une boîte d'une taille légèrement supérieure que vous fermerez aussi.
4. Continuez ainsi jusqu'à ce que vous ayez inséré toutes les boîtes les unes dans les autres en terminant par la plus grande.
5. Emmenez votre bébé dans la pièce et montrez-lui la boîte.
6. Demandez-lui: «Qu'y a-t-il à l'intérieur?» et aidez-le à l'ouvrir.
7. Quand il apercevra l'autre boîte, dites: «Une autre boîte!» Sortez cette boîte de la première et invitez le bébé à l'ouvrir.

8. Continuez ainsi jusqu'à ce que vous ayez atteint la plus petite boîte, puis laissez le bébé l'ouvrir et trouver la surprise.

Variante

Demandez à votre bébé de remettre les boîtes les unes dans les autres par ordre de grandeur.

Mise en garde

Faites en sorte que les boîtes soient faciles à ouvrir pour que votre bébé puisse le faire seul sans trop se décourager.

Le jeu de l'escalade

La plupart des bébés, quand ils reçoivent leurs jambes terrestres, aiment les mettre à l'épreuve en escaladant tout ce qui se trouve sur leur chemin. Marcher ne leur suffit pas : les enfants veulent aller «là-haut»!

Types d'apprentissage

- Exploration
- Motricité globale
- Résolution de problèmes

Matériel

- Objets à escalader tels que des coussins fermes, des caisses en carton solide, des petits tabourets et des chaises
- Vaste aire de jeu
- Plancher recouvert de tapis

Marche à suivre

1. Placez les objets à escalader dans l'aire de jeu en laissant beaucoup d'espace entre eux.
2. Emmenez votre bébé dans la pièce et montrez-lui les objets à escalader.
3. Encouragez-le à grimper dessus et aidez-le au besoin.
4. Lorsqu'il aura conquis chaque obstacle, regroupez les objets afin qu'il puisse les escalader tous ensemble.

Variante

Formez une structure en escalier afin que votre bébé grimpe sur un coussin pour atteindre une chaise, puis se hisse sur le canapé. Ou disposez les objets dans le corridor pour former une barrière que votre bébé devra franchir pour passer de l'autre côté.

Mise en garde

Restez près de votre bébé et surveillez-le au cas où il perdrait l'équilibre et tomberait. Étendez des couvertures et des tissus moelleux sur le sol pour amortir sa chute éventuelle.

Cinq petits doigts

Comme votre bébé apprend à maîtriser ses bras, ses mains et enfin, ses curieux petits doigts, jouez au Cinq petits doigts pour l'aider à développer sa motricité fine. Bientôt, ses doigts lui obéiront au doigt et à l'œil!

Matériel

- Crayons feutres non toxiques de différentes couleurs
- Les doigts du bébé et les vôtres

Marche à suivre

1. À l'aide de crayons feutres non toxiques, dessinez de petites figures sur les doigts de votre bébé: papa, maman, petite sœur, petit frère et bébé. Vous pouvez aussi dessiner des expressions faciales à la place: joie, tristesse, colère, surprise, somnolence.
2. Reproduisez les mêmes figures sur vos propres doigts.
3. Asseyez-vous l'un en face de l'autre afin que chacun puisse voir les doigts de l'autre.
4. Récitez la comptine ci-dessous en remuant chaque doigt correspondant. Aidez votre bébé à bouger ses doigts aussi.

Types d'apprentissage

- Motricité fine
- Acquisition du langage
- Aptitudes sociales

M. Pouce part en voyage

Monsieur Pouce part en voyage.
L'Index l'accompagne à la gare,
le Majeur porte la valise,
l'Annulaire porte son manteau,
et le petit Auriculaire ne porte rien du tout!
Il trotte, il trotte par-derrière
comme un petit toutou!

Variante

Récitez d'abord la comptine en remuant vos doigts pour montrer à votre bébé comment jouer. Puis, dessinez les figures sur ses doigts et montrez-lui comment participer.

Mise en garde

Utilisez des crayons feutres non toxiques au cas où votre bébé mettrait ses doigts dans sa bouche.

Suis-moi!

Quand il commence à se déplacer dans son environnement, votre bébé aime suivre des objets. Il appréciera le jeu suivant qui lui réservera plus d'une surprise, puisqu'il ne saura jamais quelle direction il prendra.

Matériel

- Petit animal en peluche
- Deux mètres de ficelle

Types d'apprentissage

- Exploration
- Motricité globale
- Résolution de problèmes
- Poursuite visuelle

Marche à suivre

1. Trouvez un petit animal en peluche susceptible de capter l'attention de votre bébé.
2. Nouez une extrémité de la ficelle autour de l'animal.
3. Posez-le par terre au milieu d'une pièce.
4. Cachez l'autre extrémité de la ficelle dans une autre pièce.
5. Mettez votre bébé par terre près de l'animal en peluche.
6. Cachez-vous dans l'autre pièce et tirez sur la corde pour faire avancer l'animal. Le bébé devrait tenter de le suivre.
7. Continuez de tirer sur la corde en entraînant le bébé à travers la maison ou l'appartement.
8. Lorsque vous aurez parcouru toutes les pièces, raccourcissez la corde graduellement pour révéler la clé du mystère au bébé!

Variante

Si un autre parent est sur place, demandez-lui de se cacher et de tirer sur la corde et accompagnez votre bébé tout en faisant des commentaires du genre: «Il s'en va par là!», «Suivons-le!» et ainsi de suite.

Mise en garde

Assurez-vous qu'aucun obstacle dangereux ne se trouve sur le chemin du bébé. Si possible, gardez un œil sur lui à son insu pour vous assurer qu'il est en sécurité.

Tête, épaules, genoux, orteils

C'est le moment de la séance d'exercices quotidienne de votre bébé. Voici un jeu qui rythmera vos mouvements d'une manière originale.

Matériel

- Autocollants
- Parties du corps

Types d'apprentissage

- Parties du corps
- Motricité globale
- Mouvement et coordination

Marche à suivre

1. Collez des autocollants ou des pastilles de couleur sur vos paupières, votre front, vos oreilles, votre nez, vos deux épaules, vos genoux et tous vos orteils.
2. Faites de même pour votre bébé.
3. Mettez-vous debout et récitez la comptine ci-dessous en effectuant les mouvements.

Tête, épaules, genoux et orteils

Tête, épaules, genoux et orteils, genoux et orteils,
(Touchez les autocollants correspondant à chaque partie du corps.)
Tête, épaules, genoux et orteils, genoux et orteils, (Même chose.)
Yeux et oreilles et bouche et nez,
(Touchez les autocollants correspondant à chaque organe.)
Tête, épaules, genoux et orteils, genoux et orteils.

Variante

Remplacez les autocollants par des pastilles de couleur que vous dessinerez sur votre corps avec des crayons feutres non toxiques. Ajoutez d'autres parties du corps à la comptine : bras, jambes, poitrine, cou, mains, pieds, dos et fesses.

Mise en garde

Retirez tous les autocollants une fois le jeu terminé pour que votre bébé ne les porte pas à sa bouche. Les crayons feutres sont plus sûrs à cet égard.

Joyeux jongleur

Lorsque votre bébé se rend compte qu'il possède deux mains, les mouvements qui consistent à tendre les bras pour atteindre un objet, le saisir et le tenir exercent sur lui une fascination sans bornes. Lancez quelques objets en l'air et voyez votre bébé se transformer en joyeux jongleur!

Types d'apprentissage

- Coordination
- Motricité fine
- Résolution de problèmes

Matériel

- Trois jouets amusants et faciles à tenir

Marche à suivre

1. Trouvez trois jouets colorés et attrayants qui sont faciles à saisir et à tenir. C'est encore mieux s'il s'agit de jouets nouveaux. Ne les lui montrez pas.
2. Asseyez le bébé par terre ou mettez-le debout.
3. Offrez-lui un des jouets et laissez-le l'explorer pendant quelques instants. (Gardez le jouet le plus fascinant pour la fin.)
4. Tandis qu'il tient un jouet, présentez-lui-en un deuxième et surveillez sa réaction. Il le prendra peut-être avec son autre main sans lâcher le premier ou encore il lâchera le premier jouet et se concentrera sur le deuxième.
5. S'il laisse tomber le premier jouet, montrez-lui qu'il l'a échappé et encouragez-le à le ramasser afin qu'il tienne un jouet dans chaque main.

6. Lorsqu'il aura exploré les deux jouets pendant quelques instants, offrez-lui le troisième et observez sa réaction. Il lâchera peut-être un jouet ou les deux, ou encore il gardera les deux jouets dans ses mains et cherchera une manière de prendre le troisième. Laissez-le résoudre son problème à sa façon.

Variante

Rendez le jeu ridicule en tendant sans cesse de nouveaux jouets à votre bébé. Regardez-les s'empiler, puis tomber d'un seul tenant. Vous en serez quittes pour une bonne rigolade!

Mise en garde

Assurez-vous que les jouets peuvent être tenus sans danger et ne sont pas trop lourds, au cas où le bébé en échapperait un sur son pied.

Tout ouïe

Améliorez la capacité d'écouter de votre bébé en jouant à Tout ouïe! Plus nombreux seront les bruits, plus le jeu sera stimulant et drôle, car votre bébé cherchera à comprendre d'où provient ce tintamarre!

Types d'apprentissage

- Cause et effet
- Capacité d'écouter
- Résolution de problèmes

Matériel

- De trois à cinq (ou plus) objets bruyants : cloche, hochet, klaxon de vélo, crécelle, bâton, poupée qui crie ou qui parle
- Petite couverture

Marche à suivre

1. Disposez de trois à cinq objets sonores en rangée sur le sol.
2. Dissimulez-les sous une couverture.
3. Asseyez votre bébé par terre près de la couverture.
4. Retirez la couverture et faites résonner chacun des objets à tour de rôle.
5. Couvrez-les de nouveau.
6. Soulevez un pan de la couverture devant vous et faites sonner l'un des objets.
7. Puis enlevez la couverture et laissez le bébé deviner de quel objet provenait le bruit. S'il hésite, faites tinter tous les objets à tour de rôle. Félicitez-le s'il reconnaît le bruit.
8. Couvrez les jouets de nouveau et recommencez le jeu.

Variante

Retirez la couverture, tournez-vous et laissez votre bébé faire tinter l'un des objets. Puis retournez-vous et devinez de quel objet provenait le bruit.

Mise en garde

Évitez les objets trop bruyants qui risqueraient de faire sursauter votre bébé.

"POUET!"

Le maître de musique

Ajoutez une dimension musicale aux mouvements de votre bébé et transformez-le en homme-orchestre grâce à quelques points de couture et des clochettes.

Matériel

- Bande élastique de 60 cm de longueur et de 1 cm de largeur
- Dix clochettes d'argent ou de couleur
- Fil et aiguille

Marche à suivre

1. Entourez lâchement les poignets et les chevilles de votre bébé de la bande élastique en faisant chevaucher les extrémités ; marquez la longueur.
2. Cousez les extrémités ensemble pour former des bracelets de poignet et de cheville.
3. Cousez deux clochettes sur chaque bracelet, une de chaque côté.
4. Glissez ces bracelets aux poignets et aux chevilles du bébé.
5. Secouez ses bras, puis ses jambes, pour faire sonner les clochettes.
6. Encouragez le bébé à se promener en agitant les bras pour faire tinter toutes les clochettes.

Types d'apprentissage

- Cause et effet
- Motricité fine et globale
- Capacité d'écouter

Variante

Fabriquez un jeu de bracelets musicaux pour vous-même et défilez avec votre bébé. Cousez des clochettes sur une bande élastique que vous placerez à la taille de votre bébé pour augmenter la dimension de l'orchestre.

Mise en garde

Cousez les clochettes solidement pour éviter que votre bébé ne les avale.

Jeu de papier

Votre bébé a tant de merveilles à explorer que nous oublions parfois les plus évidentes. Une simple feuille de papier peut constituer une source de découvertes et d'expériences fascinantes.

Types d'apprentissage

- Cognition
- Exploration sensorielle
- Motricité fine

Matériel

- Divers types de papier: papier à photocopieur, carton souple, papier ciré, papier d'aluminium, papier de riz, papier de couleur, papier-cadeau, etc.
- Surface de plancher

Marche à suivre

1. Empilez diverses sortes de papier sur le sol.
2. Asseyez votre bébé par terre.
3. Donnez-lui une feuille à la fois et laissez-le explorer ses propriétés.
4. Lorsqu'il aura manipulé toutes les sortes de papier, montrez-lui comment faire des expériences en le déchirant, en le chiffonnant en boule, en le pliant, en le faisant voler d'un souffle et ainsi de suite.

Variante

Découpez des formes dans le papier et assemblez-les pour obtenir différents dessins et motifs.

Mise en garde

Surveillez votre bébé au cas où il mangerait du papier.

Le souffleur de bulles

Au moment où votre bébé croit avoir déchiffré les mystères de l'univers, déconcertez-le de nouveau grâce au jeu amusant qui suit. Mais ne vous inquiétez pas ; il saisira vite de quoi il retourne !

Types d'apprentissage

- Cause et effet
- Exploration
- Motricité fine et globale
- Interaction sociale

Matériel

- Solution à bulles
- Vaste aire de jeu

Marche à suivre

1. Placez votre bébé au centre d'une grande pièce où il pourra bouger librement.
2. Soufflez des bulles près de lui. (Vous pouvez fabriquer votre propre baguette en tordant le haut d'un débourre-pipe de manière à former un petit anneau ; gardez un segment droit que vous tiendrez pour plonger la baguette dans la solution savonneuse.)
3. Montrez au bébé comment poursuivre les bulles et les faire éclater, puis encouragez-le à vous imiter.

Remarque

Certains bébés, surexcités par le jeu, tentent de faire éclater les bulles avant même que vous ne les ayez soufflées. C'est un moment idéal pour enseigner la patience à votre bébé en attendant quelques secondes avant de relâcher les bulles.

Variante

Montrez à votre bébé comment faire ses propres bulles : tenez la baguette près de ses lèvres et montrez-lui comment souffler doucement. S'il a du mal à souffler, montrez-lui comment faire des bulles en agitant la baguette.

Mise en garde

Surveillez votre bébé pour l'empêcher de boire la solution savonneuse.

Socquette-ball

Préparez votre tout-petit pour les ligues majeures avec un match de Socquette-ball. Il convient à merveille aux jeunes athlètes parce que les balles faites de chaussettes sont molles, faciles à saisir et toujours à portée de la main... ou du pied!

Types d'apprentissage

- Coordination visuelle-manuelle
- Motricité fine et globale
- Aptitudes sociales

Matériel

- Grandes chaussettes propres, autant que vous pouvez en fournir pour le jeu
- Seau, bac ou bol de grande taille

Marche à suivre

1. Rassemblez un certain nombre de chaussettes propres et roulez-les en boules bien serrées.
2. Placez un grand seau au milieu de la pièce.
3. Mettez les balles dans le seau.
4. Faite asseoir votre bébé à 30 ou 60 cm du seau et asseyez-vous près du seau. Faites rouler les balles vers le bébé pour qu'il puisse les attraper.
5. Une fois toutes les balles sorties du seau, mettez le bébé debout et montrez-lui à lancer les balles dans le seau. S'il ne vise pas très bien, rapprochez-le du seau et montrez-lui comment y laisser tomber les balles. Félicitez-le chaque fois qu'il réussit.

Variante

Invitez votre bébé à vous lancer les balles au lieu de les lancer dans le seau.

Mise en garde

Si vous remplacez les chaussettes par de vraies balles, choisissez des balles légères, molles et faciles à attraper.

En avant la musique !

Votre bébé adore explorer de nouveaux sons et, par-dessus tout, faire du bruit. Voici sa chance de faire partie d'un groupe musical. Il pourra même jouer de tous les instruments!

Matériel

- Articles de cuisine susceptibles de résonner : moules à tarte en métal ou en aluminium, casseroles, bols en plastique, cuillères en bois, pinceaux de cuisine, fouet, boîtes de gruau ou de céréales vides, boîtes de conserve vides, boîtes de lait vides, cuillères, tasses en plastique et contenants de toutes sortes
- Sol de la cuisine

Marche à suivre

1. Rassemblez un certain nombre d'articles de cuisine susceptibles de résonner et posez-les sur le sol.
2. Asseyez votre bébé au milieu et laissez-le examiner leurs propriétés.
3. Enseignez-lui comment produire une variété de sons : en martelant, en frappant, en battant, en secouant, en faisant tinter et même en roulant.

4. Lorsque le bébé se sera amusé quelque temps avec les instruments, mettez de la musique et montrez-lui comment suivre le rythme.

Variante

Achetez à votre bébé des instruments jouets comme un piano miniature, une petite batterie, une petite guitare, un mirliton ou un harmonica, des cloches, des triangles et des bâtons.

Mise en garde

Assurez-vous que les articles de cuisine sont dépourvus de bords tranchants et d'angles pointus.

Ficelles-surprises

Le jeu qui suit présente un double objectif: occuper votre bébé quand vous avez beaucoup à faire et lui enseigner quelque chose pendant qu'il joue. En outre, il renferme un élément de surprise qui captivera votre bébé pendant longtemps.

Matériel

- Quatre jouets de petite taille
- Quatre morceaux de ruban coloré, de corde ou de ficelle d'un mètre chacun
- Ruban adhésif en toile
- Chaise haute

Marche à suivre

1. Nouez l'extrémité d'un ruban à chaque jouet.
2. Fixez l'extrémité libre des rubans avec du ruban adhésif en toile à quatre endroits différents de la tablette de la chaise haute.
3. Mettez le bébé dans sa chaise haute et replacez la tablette.
4. Laissez-le examiner les rubans avant de lui montrer quoi en faire.
5. Après quelques minutes, montrez au bébé comment tirer sur le ruban s'il ne l'a pas déjà fait, puis poussez une exclamation de surprise à la vue du jouet.
6. Laissez le bébé deviner quoi faire avec les autres rubans.
7. Lorsqu'il aura hissé tous les jouets, poussez-les hors de la tablette et laissez-le recommencer le jeu.

Types d'apprentissage

- Cause et effet
- Accroissement du champ d'attention
- Résolution de problèmes
- Autonomie

Variante

Au lieu d'un jouet, fixez au ruban un morceau de nourriture comme un craquelin et laissez votre bébé le manger après l'avoir hissé sur la tablette.

Mise en garde

Surveillez votre bébé constamment pour vous assurer qu'il ne s'emmêle pas dans les rubans.

Mains bavardes

Le jeu qui suit a pour but d'augmenter la compétence linguistique de nos petits orateurs en herbe. Il est beaucoup plus amusant de parler quand son interlocuteur est une main!

Matériel

- Deux chaussettes de bébé blanches et propres
- Deux chaussettes d'adulte blanches et propres
- Crayons feutres indélébiles de couleurs variées
- Yeux mobiles, laine à tricoter, morceaux de feutre et autres ornements
- Pistolet à coller ou fil et aiguille
- Siège de bébé ou plancher

Marche à suivre

1. Avec des crayons feutres indélébiles de différentes couleurs, dessinez des figures sur une paire de chaussettes de bébé et une paire de chaussettes d'adulte pour les transformer en monstres, en animaux ou en marionnettes. Tracez la bouche sur le talon et le nez sur le bout de la chaussette et les yeux sur le dessus des orteils.
2. Pour obtenir une marionnette tridimensionnelle, cousez-y ou collez-y des yeux en plastique, une langue et une bouche en feutre, des cheveux en laine à tricoter et d'autres ornements.

Types d'apprentissage

- Motricité fine
- Acquisition du langage
- Interaction sociale

3. Asseyez votre bébé dans son siège ou par terre.
4. Glissez les petites chaussettes sur ses mains et les grandes sur les vôtres.
5. Laissez vos mains bavarder avec celles du bébé. Discutez de sujets intéressants en utilisant des phrases simples et de nouveaux mots.

Variante

Mettez votre bébé dans son siège et présentez-lui un spectacle de marionnettes avec vos chaussettes décorées.

Mise en garde

Assurez-vous que tous les accessoires sont solidement cousus pour éviter qu'ils ne se détachent et n'aboutissent dans la bouche du bébé.

Tube parlant

Au cours de cette période de sa vie, la compétence linguistique de votre bébé s'accroît rapidement puisque son vocabulaire passera de 1 à 50 mots entre 12 et 18 mois. Amusez-vous à parler et à faire des sons en jouant au Tube parlant.

Types d'apprentissage

- Élocution
- Acquisition du langage
- Capacité d'écouter

Matériel

- Deux tubes de papier hygiénique ou d'essuie-tout ou un tube de papier-cadeau coupé en deux
- Crayons feutres non toxiques de différentes couleurs
- Vos voix

Marche à suivre

1. Décorez les tubes avec les crayons feutres non toxiques pour qu'ils soient attrayants, colorés et amusants. Laissez votre bébé vous aider.
2. Portez un tube à votre bouche et parlez au bébé. Le son devrait être amplifié.

3. Donnez l'autre tube au bébé et laissez-le vous imiter. Tenez le tube près de sa bouche s'il a besoin d'aide pour commencer. Encouragez-le à parler dans le tube.
4. Servez-vous du tube pour produire une variété de sons et encouragez votre bébé à faire de même.

Variante

Fabriquez votre propre mégaphone à l'aide d'un carton rigide roulé en cône. Collez le cône et parlez dans sa plus petite extrémité. Utilisez une variété de tubes et de cylindres pour produire divers sons.

Mise en garde

Utilisez des crayons feutres non toxiques, car votre bébé appuiera le tube sur sa bouche. Assurez-vous que ses bords ne sont pas coupants.

Marche sur l'échelle

Au cours de cette période de sa vie, votre bébé se mettra à marcher. Stimulez son nouveau talent en jouant à Marche sur l'échelle. Votre bébé sera fier de réaliser ce véritable exploit.

Matériel

- Échelle en bois
- Vaste surface de plancher

Types d'apprentissage

- Coordination et équilibre
- Motricité globale
- Résolution de problèmes
- Poursuite visuelle et perception de la profondeur

Marche à suivre

1. Dégagez une vaste surface de plancher.
2. Posez une échelle en bois sur le sol.
3. Mettez votre bébé à une extrémité de l'échelle et marchez jusqu'à l'autre extrémité en posant lentement les pieds dans l'espace entre chaque échelon.
4. Une fois rendu à l'autre extrémité, tournez-vous et appelez le bébé par son nom. Encouragez-le à venir vers vous en marchant sur l'échelle. Évitez de le distraire pendant qu'il se concentre pour poser les pieds entre les échelons. Il doit réfléchir à ce qu'il fait.
5. Lorsqu'il vous a rejoint, félicitez-le et recommencez le jeu.

Variante

Lorsque votre bébé marchera sur l'échelle sans difficulté, placez des jouets entre les échelons et demandez-lui de les ramasser en cours de route.

Mise en garde

Optez pour une échelle en bois plutôt qu'en métal, cette dernière étant pourvue de bords potentiellement tranchants.

Vermisseaux en gelée

Voilà une façon merveilleuse de violer la règle séculaire qui commande de ne pas jouer avec sa nourriture. Pourquoi empêcher votre bébé de s'amuser avec ses repas et ses goûters? La nourriture doit être agréable... à sentir, à goûter et à toucher!

Types d'apprentissage

- Cognition
- Exploration
- Motricité fine
- Apprentissage de l'autonomie (manger)

Matériel

- Gelée de fruit ferme (Jello)
- Chaise haute

Marche à suivre

1. Cuisinez la gelée en suivant les instructions de l'emballage pour obtenir une consistance ferme.
2. Versez la gelée dans un bac carré peu profond et mettez-la à refroidir jusqu'à ce qu'elle soit prise.
3. Coupez la gelée en longues bandes étroites mesurant environ 2,5 cm sur 10 cm pour représenter des vermisseaux.
4. Mettez le bébé dans sa chaise haute et replacez la tablette.
5. Retournez le bac de vermisseaux en gelée sur la tablette.
6. Laissez le bébé les explorer avec ses doigts et sa bouche.

Variante

Ajoutez de menus morceaux de fruit à la gelée pour rendre le jeu plus amusant.

Mise en garde

Assurez-vous que la tablette de la chaise haute est propre, car votre bébé mangera à même sa surface. Si vous ajoutez des fruits à la gelée, évitez les morceaux trop gros qui risqueraient d'étouffer le bébé.

DE 18 À 24 MOIS

À mesure que votre bébé se transforme en un jeune enfant, vous notez chez lui un certain nombre de changements physiques, cognitifs, sociaux et émotionnels. Ces nouvelles aptitudes psychosociales accentuent sa conscience de soi et son indépendance.

Physiquement, votre bébé perd son gros ventre, ses jambes s'allongent et se musclent, et ses doigts potelés s'amincissent et deviennent plus habiles, de sorte qu'il peut faire des dessins concrets au lieu de simples traits. Il peut courir, marcher à reculons, sautiller, grimper, conduire un tricycle ou même skier et patiner!

Comme sa pensée devient plus logique, il commence à comprendre le fonctionnement des choses. Il peut classifier ses expériences et accède ainsi à un niveau de raisonnement supérieur. Comme il comprend que tous les animaux à quatre pattes ne sont pas des chiens et que tous les hommes ne sont pas des papas, son horizon cognitif s'élargit et il est prêt à assimiler de nouvelles connaissances.

Votre enfant est de plus en plus conscient de lui-même et capable de se reconnaître ainsi que de reconnaître ses jouets, les êtres qui lui sont chers et les choses qu'il aime. Il peut même se soucier de son apparence et vouloir choisir ses vêtements lui-même.

Il devient sociable et adore avoir des amis. Les enfants, même s'ils se chamaillent souvent, se raccommodent aussi rapidement. Votre enfant est davantage prêt à partager ses jouets, mais il faudra attendre un certain temps avant qu'il ne saisisse parfaitement la notion de partage.

Il maîtrise mieux ses émotions et devrait, à ce stade, exprimer verbalement ses désirs et ses besoins. Sa gamme émotionnelle se diversifie et il commence à saisir le concept de « références sociales », qui signifie qu'il observe les réactions émotionnelles et sociales des adultes et les imite.

En tout et pour tout, votre bébé est de moins en moins un bébé et de plus en plus un jeune enfant, et il est prêt à se lancer dans des jeux plus complexes.

Démarche d'animal

Avec un peu d'aide de votre part, votre bébé peut marcher comme un animal. Il vous suffit d'un brin d'imagination et de quelques sautillements créatifs!

Matériel

- Photographies d'animaux
- Musique de fanfare
- Surface de plancher

Types d'apprentissage

- Créativité et imagination
- Motricité globale
- Identification et classification

Marche à suivre

1. Trouvez des photographies d'animaux dotés d'une démarche particulière: un éléphant (oscille de gauche à droite), un chat (marche sur la pointe des pattes), un chien (court), un serpent (ondule), une grue (haute sur pattes), un canard (se dandine), une souris (détale), une araignée (utilise tous ses membres), et ainsi de suite.
2. Mettez de la musique de fanfare pour soutenir votre démarche d'animal.
3. Placez-vous au milieu d'un espace dégagé et montrez à votre bébé une première photographie d'animal.
4. Puis, imitez la démarche de l'animal en utilisant votre corps d'une manière créative.
5. Encouragez le bébé à vous emboîter le pas.
6. Après quelques instants, choisissez un autre animal et modifiez votre démarche en conséquence.

Variante

Laissez votre bébé démontrer le premier la démarche de l'animal. Entraînez-le dans une promenade au cours de laquelle vous modifierez sans arrêt votre démarche après quelques pas.

Mise en garde

Veillez à ce que le plancher soit bien dégagé pour éviter que le bébé ne trébuche sur un obstacle.

Basket-ball pour bébé

Les jeux de balle développent la coordination visuelle-manuelle et la motricité globale tant des bébés que des jeunes enfants, tout en leur procurant un merveilleux sentiment d'accomplissement. Essayez ce jeu de basket-ball pour débutants. Qui sait jusqu'où un peu d'entraînement peut mener votre enfant?

Types d'apprentissage

- Coordination visuelle-manuelle
- Motricité globale
- Interaction sociale

Matériel

- Gros ballon en plastique léger ou en mousse d'environ 30 cm de diamètre
- Panier, bac ou boîte assez grande pour contenir largement le ballon
- Surface de plancher

Marche à suivre

1. Placez le panier ou tout autre grand contenant contre un mur à l'intérieur ou à l'extérieur de la maison.
2. Placez-vous avec votre bébé à environ 30 cm du panier et donnez-lui le ballon.
3. Encouragez-le à le lancer dans le panier.
4. Si le jeu est trop facile pour votre futur joueur de la ligue nationale, faites-le reculer d'un ou deux pas. S'il est trop difficile, rapprochez-le du panier.

Variante

Inclinez légèrement le panier pour que le ballon puisse y pénétrer plus facilement. Tracez une ligne avec de la ficelle ou du ruban adhésif pour que votre bébé sache où se placer.

Mise en garde

Si vous jouez à l'intérieur, assurez-vous de déplacer tous les objets fragiles.

Course au trésor

Dans cette version-ci du jeu de cache-cache, ce n'est pas une personne qui est cachée, mais un trésor, et le pirate fournit des indices quant à son emplacement. Assurez-vous que le trésor est un objet qu'il vaut la peine de trouver après tout ce travail.

Matériel

- Jouet ou surprise de petite taille
- Pièce où cacher le jouet

Marche à suivre

1. Choisissez un jouet spécial ou une surprise qui donnera de la valeur aux efforts de votre bébé.
2. Cachez le jouet dans un endroit où il ne sera ni trop facile ni trop difficile à découvrir.
3. Emmenez votre bébé dans la pièce et dites-lui que vous y avez caché un trésor.
4. Donnez-lui des indices verbaux : «Tu approches» ou «Tu t'éloignes».
5. Lorsque le bébé aura trouvé le jouet, cachez-le de nouveau jusqu'à ce qu'il se lasse du jeu. Ou encore cachez un jouet différent chaque fois pour retenir son intérêt plus longtemps.

Types d'apprentissage

- Cognition et réflexion
- Acquisition du langage
- Permanence de l'objet
- Résolution de problèmes

Variante

Laissez votre bébé incarner le pirate et cacher le jouet pour que vous le cherchiez. Ne le trouvez pas trop vite!

Mise en garde

Choisissez une pièce où votre bébé ne risque pas de casser quelque objet ou de se blesser en jouant.

Cuisinier en herbe

La cuisine permet d'inculquer à votre bébé un certain nombre d'aptitudes allant de l'acquisition du langage à la motricité, en passant par le développement cognitif. Aussi, laissez votre bébé vous aider à confectionner ses premiers biscuits.

Types d'apprentissage

- Cognition
- Acquisition du langage
- Permanence de l'objet
- Résolution de problèmes

Matériel

- Pâte à biscuits réfrigérée
- Rouleau à pâte
- Farine
- Emporte-pièces
- Plaque à biscuits
- Perles de sucre
- Fourneau

Marche à suivre

1. Roulez la pâte à biscuits sur une surface légèrement farinée. Laissez votre bébé rouler aussi.
2. Donnez-lui des emporte-pièces et montrez-lui comment les enfoncer dans la pâte.
3. Mettez les biscuits sur une plaque à biscuits.
4. Laissez le bébé les saupoudrer de perles de sucre.
5. Faites cuire les biscuits selon les instructions de l'emballage ; retirez-les du four et laissez-les refroidir.
6. Mangez-les... jamais sans votre lait !

Variante

Donnez à votre bébé du glaçage en tube et laissez-le orner ses biscuits de motifs colorés avant de les manger.

Mise en garde

Gardez toujours un œil sur votre bébé dans la cuisine pour l'empêcher de se couper, de se piquer ou de se brûler.

Mille-pattes

De temps à autre, votre bébé régresse légèrement et même s'il sait marcher, il préfère ramper, car cela lui procure un sentiment de sécurité. Lorsque cela se produit, mettez-vous à quatre pattes et jouez au Mille-pattes avec lui.

Types d'apprentissage

- Affronter l'excitation et la peur
- Motricité globale
- Résolution de problèmes
- Interaction sociale

Matériel

- Oreillers, coussins, animaux en peluche, couvertures et autres obstacles mous
- Vaste surface de plancher

Marche à suivre

1. Couvrez une vaste surface de plancher d'obstacles moelleux pour stimuler votre bébé.
2. Mettez celui-ci à quatre pattes d'un côté de la pièce.
3. Mettez-vous à quatre pattes derrière lui.
4. Dites : «Le mille-pattes s'en vient!» et poursuivez-le à quatre pattes.
5. Encouragez le bébé à s'éloigner de vous en rampant.
6. Continuez de le pourchasser et observez-le tandis qu'il contourne les obstacles dans sa fuite.
7. Quand il se fatiguera du jeu, inversez les rôles et laissez-le vous poursuivre.

Variante

Désignez un refuge tel qu'une couverture où la bestiole rampante ne peut pas atteindre votre bébé. Lorsqu'il s'y réfugie, éloignez-vous pour lui donner la chance de s'aventurer de nouveau à l'extérieur, puis prenez-le de nouveau en chasse.

Mise en garde

N'effrayez pas votre bébé outre mesure, car il n'appréciera pas le jeu.

Bébé danseur

Votre bébé possède le sens du rythme. Vous n'avez qu'à mettre de la musique pour qu'il se mette à danser. Rendez-vous sur la piste de danse et rejoignez votre cavalier!

Matériel

- Lecteur de cassettes ou de disques compacts
- Musique de danse
- Surface de plancher

Types d'apprentissage

- Coordination et équilibre
- Capacité d'écouter
- Motricité
- Interaction sociale

Marche à suivre

1. Choisissez diverses musiques de danse : classique, rock'n'roll, hip-hop...
2. Placez votre bébé au milieu de la pièce et mettez le magnétophone en marche. Laissez-le danser comme il veut au rythme de la musique.
3. Changez de type de musique et voyez le bébé modifier son style en fonction du nouveau morceau.

4. Au bout de quelques minutes, jouez à un jeu. Expliquez au bébé que lorsque vous arrêtez la musique, tout le monde doit s'immobiliser. Puis mettez la musique en marche et dansez ensemble. De temps en temps, arrêtez la musique et riez de vos postures grotesques.
5. Continuez à danser sur différentes musiques en inventant vos mouvements au fur et à mesure.

Variante

Frappez dans vos mains ou martelez le sol du pied en cadence. Fredonnez la mélodie tout en dansant. Filmez votre bébé et montrez-lui le film vidéo une fois le jeu terminé.

Mise en garde

Assurez-vous que le plancher n'est pas trop glissant pour que le bébé ne tombe pas. Faites-le danser pieds nus pour lui assurer une meilleure traction.

Habillons papa

Votre bébé arrive à distinguer les hommes des femmes et les garçons des filles surtout par leurs vêtements. Voici une occasion d'habiller papa tout en apprenant comment différencier les vêtements.

Matériel

- Pile de vêtements propres comprenant un costume complet pour papa ainsi que divers autres vêtements
- Vaste surface de plancher

Marche à suivre

1. Étalez les vêtements sur le lit ou sur le sol.
2. Dites à votre bébé que vous voulez habiller papa et que vous avez besoin d'aide. Demandez-lui de choisir le premier morceau. Encouragez-le à trouver un vêtement appartenant à papa comme son caleçon-boxer, ses chaussettes ou son maillot de corps.
3. Invitez-le à trouver tous les vêtements qui appartiennent à papa et étalez-les sur le sol comme pour l'habiller.
4. Disposez les vêtements dans l'ordre approprié : le maillot de corps sous la chemise et la chemise au-dessus du pantalon. Apportez les corrections nécessaires.
5. Une fois papa habillé, recommencez le jeu et habillez maman.

Types d'apprentissage

- Classification et tri
- Motricité fine
- Différences entre les sexes
- Mise en séquence

Variante

S'il possède une grande poupée, votre bébé peut l'habiller avec ses propres vêtements.

Mise en garde

Attention aux boutons lâches, aux fermetures éclair et aux épingles ouvertes qui pourraient blesser votre bébé pendant le jeu.

Plaisirs glacés

En grandissant, votre bébé aime inventer toutes sortes de jeux avec l'eau d'un bol, de la baignoire ou du boyau d'arrosage.

Matériel

- Bac à glaçons
- Petites figurines en plastique
- Congélateur
- Baignoire

Marche à suivre

1. Mettez les figurines en plastique dans un bac à glaçons.
2. Remplissez le bac d'eau et placez-le au congélateur.
3. Remplissez la baignoire d'eau chaude.
4. Mettez-y votre bébé lentement.
5. Jetez les glaçons dans la baignoire.
6. Laissez le bébé explorer les propriétés de la glace dans l'eau et aidez-le à comprendre ce qui se passe quand la glace fond.

Types d'apprentissage

- Cause et effet
- Exploration
- Motricité

Variante

Utilisez des boîtes de lait en carton pour y congeler des jouets plus grands. Pour le plaisir, colorez les glaçons avec du colorant alimentaire.

Mise en garde

Assurez-vous que l'eau est assez chaude pour le bébé ; vous devrez peut-être en ajouter à mesure que la glace fond. Ne quittez pas votre bébé des yeux quand il se trouve dans la baignoire.

Doigt fantôme

Quel est ce truc effrayant dans votre main? C'est un Doigt fantôme! Il est venu pour amuser votre bébé avec ses mimiques et ses bavardages. Vous n'avez pas besoin d'attendre jusqu'à l'Halloween pour jouer à ce jeu.

Types d'apprentissage

- Créativité et imagination
- Motricité fine
- Interaction sociale

Matériel

- Pièce d'étoffe ou mouchoir blanc
- Élastique ou ficelle
- Crayon feutre
- Doigt

Marche à suivre

1. Placez l'extrémité de votre index au centre d'un morceau de tissu ou d'un mouchoir blanc.
2. Enroulez le tissu ou le mouchoir autour de votre doigt et attachez-le avec un élastique ou un bout de ficelle.
3. Dessinez-y deux yeux, un nez et une bouche au crayon feutre.
4. Tenez votre bébé sur vos genoux et présentez-lui le Doigt fantôme.
5. Conversez avec le Doigt fantôme; remuez-le quand il répond pour attirer l'attention du bébé.
6. Chantez «Un petit fantôme blanc», le Doigt fantôme agissant comme maître de chant.

Un petit fantôme blanc

Un petit fantôme blanc volant dans les airs

(Levez le doigt et agitez-le dans l'air.)

Un petit fantôme blanc, volant dans les airs

(Recommencez.)

Il vola si haut qu'il monta presque jusqu'au ciel

(Levez votre doigt très haut dans les airs.)

Mais il redescendit pour dire «Au revoir!»

(Descendez votre doigt et faites-le disparaître.)

Variante

Transformez un des doigts du bébé en Doigt fantôme et jouez ensemble.

Mise en garde

Ne serrez pas trop l'élastique ou la ficelle autour du doigt de votre bébé.

Préparation pour muffins

Si votre bébé est difficile pour ce qui est de sa nourriture — ou en général —, voici un jeu qui exige qu'il le soit. De plus, c'est un jeu savoureux puisque votre bébé peut manger les pièces tout en jouant.

Types d'apprentissage

- Classification
- Exploration des saveurs
- Motricité fine

Matériel

- Moule à muffins
- Six sortes de céréales sèches : riz soufflé, flocons de maïs, blé filamenteux, rondelles de maïs, avoine croquante, riz croquant
- Six bols

Variante

Pour accentuer la difficulté du jeu, au lieu de mettre chaque céréale dans un bol différent, versez une petite quantité de chacune sur la table et mélangez-les. Demandez au bébé de séparer les céréales et de les placer dans le bon gobelet à muffins.

Marche à suivre

1. Versez une petite quantité de chaque céréale dans chacun des six bols.
2. Disposez les bols en rangée sur la table.
3. Placez le moule à muffins derrière les bols, à portée de la main de votre bébé.
4. Placez un flocon de chaque céréale dans un des gobelets à muffins, chaque céréale ayant son propre gobelet.
5. Demandez au bébé d'assortir les gobelets et les céréales.
6. Invitez-le à remplir chaque gobelet avec la céréale correspondante.
7. Permettez-lui de manger des céréales tout en jouant!

Mise en garde

Si vous utilisez un aliment autre que des céréales, assurez-vous que votre bébé ne risque pas de s'étouffer.

Pâte arc-en-ciel

À mesure que les petits doigts potelés de votre bébé allongent, ils obéissent de mieux en mieux à ses ordres. Aidez-le à développer ses aptitudes motrices fines tout en faisant appel à sa créativité.

Matériel

- 480 g (2 tasses) de farine
- 200 g (1 tasse) de sel
- 175 ml (¾ tasse) d'eau
- Bol
- Colorant alimentaire rouge, bleu, jaune et vert
- Ustensiles de cuisine : couverts en plastique, rouleau à pâte, emporte-pièces, etc.

Marche à suivre

1. Dans un bol, mélangez la farine, le sel et l'eau et pétrissez cette pâte avec les mains jusqu'à ce qu'elle soit homogène.
2. Divisez la pâte en quatre portions auxquelles vous ajouterez quelques gouttes de colorant alimentaire bleu, rouge, jaune et vert respectivement. Pétrissez la pâte pour bien intégrer la couleur.

Types d'apprentissage

- Cause et effet
- Créativité et imagination
- Motricité fine
- Stimulation sensorielle

3. Installez le bébé à la table et placez les quatre boules de pâte devant lui.
4. Donnez-lui des couverts en plastique, un rouleau à pâte, des emporte-pièces et d'autres ustensiles de cuisine avec lesquels il pourra explorer les propriétés de la pâte.

Variante

Si votre bébé fabrique un jouet avec la pâte, faites cuire celle-ci à 120 °C (250 °F) pendant une heure ou plus jusqu'à ce qu'elle soit ferme. Retirez-la du four, laissez-la refroidir et donnez-lui son nouveau jouet.

Mise en garde

Ne laissez pas votre bébé manger cette pâte.

Feu rouge, feu vert

Au moment précis où votre bébé démarre, criez Feu rouge et arrêtez-le net! Il ne s'en formalisera pas puisque vous jouez à Feu rouge, feu vert. Au feu vert, il pourra redémarrer.

Matériel

- Ficelle ou ruban adhésif
- Vaste surface de plancher

Types d'apprentissage

- Équilibre et coordination
- Cause et effet
- Motricité globale
- Capacité d'écouter

Marche à suivre

1. Placez un morceau de ficelle ou de ruban adhésif sur le plancher à une extrémité de la pièce.
2. Mettez-en un autre morceau, parallèle au premier, à l'autre bout de la pièce.
3. Dégagez l'espace entre les deux lignes.
4. Placez votre bébé debout d'un côté de la pièce et dites-lui de rester derrière la ligne jusqu'à ce que vous lui donniez un ordre.
5. Allez vous placer derrière l'autre ligne.
6. Expliquez au bébé que sur l'ordre «Feu vert!», il doit s'élancer vers le côté opposé de la pièce et franchir l'autre ligne. Mais lorsque vous criez: «Feu rouge!», il doit s'immobiliser aussitôt.
7. Faites d'abord un essai. Placez-vous en face de lui et observez ce qu'il fait lorsque vous criez «Feu rouge!» et «Feu vert!» Corrigez-le s'il y a lieu et expliquez-lui les règles de nouveau.
8. Après un essai réussi, tournez le dos au bébé et criez: «Feu vert!»
9. Puis criez aussitôt «Feu rouge!» en vous retournant pour surprendre l'enfant s'il bouge.
10. Continuez de jouer jusqu'à ce qu'il ait franchi la ligne.
11. Donnez-lui la chance de faire l'agent de circulation.

Variante

Jouez à ce jeu avec plusieurs enfants. Levez des panneaux rouge et vert chaque fois que vous criez «Feu rouge!» et «Feu vert!».

Mise en garde

Retirez tous les obstacles pour ne pas faire trébucher l'enfant.

Pareil ou pas pareil ?

Les capacités cognitives de votre bébé se développent rapidement pendant cette période. Il est désormais capable de classer les objets grossièrement en fonction de leurs similarités et de leurs différences. Voici un jeu propre à stimuler cette faculté.

Types d'apprentissage

- Classification et tri
- Distinction entre similitudes et différences
- Affinement des capacités cognitives

Matériel

- Groupes de trois jouets dont deux sont identiques et un est différent : cartes, animaux en peluche, blocs, images, poupées, aliments en plastique, etc.
- Table

Marche à suivre

1. Rassemblez des objets en groupes de trois. Chaque groupe doit contenir deux objets identiques et un légèrement différent.
2. Placez chaque groupe d'objets dans un sac distinct.
3. Faites asseoir le bébé à la table et posez un sac devant lui.

4. Retirez les trois objets du sac et placez-les sur la table.
5. Demandez au bébé quel objet diffère des autres. Laissez-le réfléchir quelques minutes. S'il est embêté, posez-lui des questions sur les objets pour l'aider à saisir leurs différences.
6. Apportez les autres sacs un à un et laissez le bébé deviner quels objets diffèrent des autres.

Variante

Jouez à ce jeu avec des aliments : craquelins, fromages, boissons, bonbons, pains, biscuits, etc.

Mise en garde

Choisissez des objets qui ne présentent aucun danger pour l'enfant.

Boutique de chaussures

Comme votre enfant vacille parfois sur ses petites jambes, compliquez-lui un peu la vie en l'emmenant à la Boutique de chaussures. Si vous avez de grands pieds, tant mieux, votre bébé pourra suivre vos traces.

Matériel

- De nombreuses paires de chaussures de toutes les pointures
- Chaussettes (facultatif)
- Surface de plancher dégagée

Marche à suivre

1. Choisissez dans votre armoire plusieurs paires de chaussures de styles variés : souliers à talons hauts, chaussures de travail, bottes, sandales, espadrilles, etc.
2. Placez les chaussures au centre de la pièce.
3. Laissez votre bébé les explorer.
4. Mélangez les chaussures et demandez-lui de les assortir.
5. Puis, invitez-le à les chausser et à marcher.

Types d'apprentissage

- Équilibre et coordination
- Motricité globale
- Appariement et classification

Variante

Préparez-lui une course d'obstacles. Faites-lui mettre deux chaussures différentes comme une botte et une sandale.

Mise en garde

Surveillez-le pour l'empêcher de trébucher ou de mettre les chaussures sales dans sa bouche.

Drôles de godasses

Profitez des nouvelles capacités ambulatoires de votre bébé en jouant à Drôles de godasses. Ce jeu absurde et amusant stimulera son équilibre et sa perception tout en développant sa motricité globale.

Matériel

- Divers matériaux pouvant servir à fabriquer d'absurdes chaussures : carton, feutre, fausse fourrure, mousse, plastique souple, boîtes à chaussures, etc.
- Ruban adhésif en toile
- Surface de plancher

Marche à suivre

1. Prenez un des matériaux mentionnés ci-dessus, comme la fausse fourrure, et enveloppez-en les pieds de votre bébé.
2. Maintenez-la en place avec du ruban adhésif en toile.
3. Laissez l'enfant marcher avec ses drôles de chaussures.
4. Ôtez-les-lui et fabriquez-en une autre paire dans un autre matériau, du carton par exemple.

Types d'apprentissage

- Équilibre et coordination
- Créativité
- Exploration
- Motricité globale

5. Laissez le bébé marcher avec ses godasses en carton.
6. Continuez de fabriquer de curieuses chaussures et de les faire essayer au bébé.

Variante

Laissez votre bébé concevoir de nouvelles chaussures et aidez-le à les fabriquer.

Mise en garde

Assurez-vous que l'espace est bien dégagé et que votre bébé ne risque pas de se blesser sur un meuble en tombant.

L'araignée dans sa toile

Votre bébé va partout et adore relever de nouveaux défis. Fabriquez une toile pour votre petite araignée et observez ses efforts pour sortir du labyrinthe.

Matériel

- Écheveau de laine colorée
- Pièce spacieuse et meublée
- Ruban adhésif transparent

Marche à suivre

1. Prenez un écheveau de laine colorée et nouez-en une extrémité à un meuble situé d'un côté de la pièce, à une hauteur accessible à votre bébé.
2. Dévidez l'écheveau tout en vous déplaçant dans la pièce et collez le fil avec du ruban adhésif ici et là sur les meubles ou les murs. Ne collez pas le fil trop haut.
3. Lorsque la toile en laine occupera toute la pièce, déroulez 1 ou 2 m supplémentaires de fil, puis coupez-le.
4. Placez l'extrémité de l'écheveau hors de la pièce ; il vous servira à attirer votre bébé dans la toile.

Types d'apprentissage

- Coordination visuelle-manuelle
- Motricité fine et globale
- Résolution de problèmes

5. Dites au bébé de prendre l'extrémité du fil de laine et de le suivre.
6. Observez-le tandis qu'il s'engage dans le labyrinthe et suit le fil de laine jusqu'à la fin.

Variante

Fixez de petits jouets à la laine pour que votre bébé les ramasse à mesure qu'il avance dans le labyrinthe.

Mise en garde

Surveillez bien l'enfant pour l'empêcher de s'emmêler dans la laine ou de faire tomber des objets fragiles.

Chasse aux autocollants

Voici une chasse au trésor dans laquelle votre bébé cherche ce qui se trouve sous son nez. Dans ce jeu de cache-cache, c'est son corps tout entier qui sort gagnant.

Matériel

- De 20 à 30 autocollants
- Papier et crayon
- Le corps de votre bébé

Marche à suivre

1. Achetez une variété d'autocollants attrayants.
2. Dressez-en une liste afin de pouvoir les identifier.
3. Sur une feuille de papier, dessinez la silhouette de votre bébé vue de face et vue de dos.
4. Placez le bébé au milieu de la pièce et appliquez des autocollants un peu partout sur son corps, certains hors de sa vue et d'autres bien visibles.
5. Nommez un autocollant figurant sur votre liste.
6. Invitez le bébé à le repérer sur son corps.
7. Lorsqu'il l'aura trouvé, demandez-lui de le décoller et de le coller à l'endroit correspondant sur la silhouette en papier.
8. Continuez le jeu jusqu'à ce que tous les autocollants soient passés de son corps à la silhouette en papier.

Types d'apprentissage

- Conscience du corps
- Motricité fine
- Permanence de l'objet
- Interaction sociale

Variante

Collez des autocollants un peu partout sur votre corps et laissez votre bébé les trouver.

Mise en garde

Évitez de mettre des autocollants dans les cheveux du bébé et assurez-vous de récupérer tous les autocollants à la fin du jeu.

Défilé avec banderole

Comme votre bébé ne tient pas en place à ce stade-ci, donnez-lui quelque chose de spécial à faire pendant ses déplacements. Laissez-le diriger un défilé à un seul participant : lui-même!

Matériel

- Baguette en bois lisse ou en plastique de 30 cm de longueur
- Une bande de 3 m de papier crépon, de ruban ou de tissu léger
- Ruban adhésif en toile
- Musique de fanfare

Marche à suivre

1. Trouvez une baguette en bois ou en plastique mesurant environ 30 cm de longueur.
2. Coupez une bande de papier crépon, de ruban ou de tissu de 3 m de longueur.
3. Fixez une extrémité de la banderole à un bout de la baguette.

Types d'apprentissage

- Équilibre et coordination
- Motricité globale
- Poursuite visuelle

4. Donnez la baguette ornée de la banderole à votre bébé et montrez-lui comment la faire onduler.
5. Laissez-le explorer les propriétés de la banderole en dessinant des cercles, des huit, des ondulations et ainsi de suite.
6. Quand il sera prêt, mettez de la musique de fanfare et invitez-le à diriger un défilé imaginaire en agitant sa banderole.

Variante

Fixez plusieurs rubans à la baguette pour former une banderole multicolore. Participez au cortège avec votre propre banderole et suivez votre bébé au rythme de la musique.

Mise en garde

Choisissez un bâton léger au cas où votre bébé l'échapperait et assurez-vous que ses bords ne sont pas coupants ni rugueux. Ne quittez pas votre bébé des yeux au cas où il s'emmêlerait dans la banderole.

Touché

Les parents semblent passer leur temps à dire à leur bébé: «Ne touche pas!» Voici une chance de dire: «Touche!» dans un jeu de devinette qui ne manquera pas de divertir et d'éduquer votre bébé.

Types d'apprentissage

- Capacités cognitives
- Exploration
- Représentation mentale, imagination
- Sens du toucher

Matériel

- Six petits sacs en papier
- Six objets intéressants à toucher

Marche à suivre

1. Dans chacun des six sacs en papier, placez un objet intéressant à toucher: balle molle, glu, éponge, tampon d'ouate, jouet qui crie, jouet familier, brosse à bouteille, fausse fourrure, etc.
2. Fermez les sacs et posez-les par terre.
3. Emmenez votre bébé dans la pièce et faites-le asseoir sur le sol près des sacs.
4. Prenez un sac et ouvrez-le.
5. Invitez le bébé à glisser la main à l'intérieur sans regarder. Montrez-lui comment faire s'il hésite à explorer le contenu du sac avec la main seulement.
6. Demandez-lui ce qu'il touche et s'il peut identifier l'objet.
7. S'il en est incapable, glissez votre main dans le sac et décrivez-lui les propriétés de l'objet.
8. S'il ne devine toujours pas, laissez-le sortir l'objet du sac.

Variante

Mettez des aliments dans les sacs, laissez votre bébé les identifier à tâtons puis les manger!

Mise en garde

Choisissez des objets sans bords coupants ni pointes que l'enfant peut tâter sans danger.

Sons du zoo

Votre bébé se familiarise rapidement avec le monde qui l'entoure et les animaux peuvent élargir ses horizons tout en l'amusant. Jouez à Sons du zoo pour lui apprendre à assortir les cris aux animaux.

Matériel

- Photographies d'animaux ayant des cris distincts
- Magnétophone et cassette

Marche à suivre

1. Trouvez des photos d'animaux ayant des cris distincts : canard, poule, chat, chien, cheval, vache, oiseau, grenouille, lion, ours, etc.
2. Imitez le cri de chaque animal et enregistrez-le sur cassette en marquant une pause entre chacun.
3. Prenez votre bébé sur vos genoux et asseyez-vous par terre ou à la table.
4. Étalez les photographies devant lui.
5. Regardez attentivement chaque photo et identifiez l'animal.

Types d'apprentissage

- Classification, tri et appariement
- Exploration
- Capacité d'écouter

6. Mettez le magnétophone en marche et dites au bébé d'écouter le cri du premier animal.
7. Arrêtez le magnétophone et demandez-lui de quel animal il s'agit.
8. Continuez ainsi jusqu'à ce que le bébé ait assorti tous les animaux à leur cri.

Variante

Si le jeu est trop difficile pour votre bébé, faites-lui entendre la cassette en lui montrant l'image qui va avec chaque cri. Puis, repassez la bande et voyez s'il se rappelle quel cri va avec chaque animal.

Mise en garde

Ne poussez pas des cris trop stridents ou trop terrifiants, car votre bébé ne pourra pas se concentrer.

DE 24 À 30 MOIS

Lorsque votre enfant franchit le terme de deux ans, il est beaucoup moins un bébé qu'un jeune enfant. Il s'acquitte d'un certain nombre de tâches seul (mais sous votre surveillance) et comprend assez bien le fonctionnement de son univers.

Sur le plan physique, son corps menu peut accomplir presque autant qu'un corps d'adulte, mais il n'a pas la même force ni la même endurance. En d'autres termes, votre enfant se fatigue vite et a encore besoin de refaire ses forces fréquemment au moyen de saines collations et de courtes siestes. Comme il veut imiter papa et maman, et accomplir des tâches d'adulte, laissez-le vous aider au jardin, à la cuisine et au ménage. Confiez-lui une petite tâche à faire seul chaque jour pour qu'il prenne conscience de sa propre valeur.

À ce stade, votre enfant maîtrise mieux les crayons feutres et les crayons de couleur, et ses dessins sont plus réalistes. Accordez-lui beaucoup de temps pour dessiner et donnez-lui de grandes feuilles de papier et de grands outils. Comme il se soucie peu de dépasser ou non les lignes à cet âge, ne lui donnez pas d'albums à colorier et laissez-le tout bonnement dessiner ce qu'il veut. Le dessin libre non seulement aide votre enfant à développer sa motricité fine, mais encore, c'est un outil fabuleux pour lui permettre d'exprimer ses émotions.

Tout en méditant sur son univers, votre enfant discerne plus clairement les relations de cause à effet ainsi que la manière de s'y prendre pour devenir plus autonome dans ses tâches. Laissez-le faire et au besoin aidez-le à résoudre ses problèmes en lui offrant des suggestions. N'essayez pas de tout faire à sa place et ne lui indiquez pas toujours la «bonne» façon de procéder. Au contraire, laissez-le libre de réfléchir par lui-même. Offrez-lui des choix afin de développer sa capacité de raisonner. Stimulez sa créativité et sa curiosité en lui posant des questions ouvertes commençant par «Qu'est-ce que», «Comment» ou «Pourquoi» et évitez les questions qui demandent un oui ou un non et ne laissent aucune place à l'interprétation et à l'exploration.

Le langage devient un jouet amusant à cet âge. Chantez-lui des chansons, récitez-lui des comptines, proposez-lui des jeux de rimes, tenez des propos absurdes et imitez les personnages de ses livres préférés. Donnez-lui quantité de livres à «lire» seul. Les livres stimulent l'imagination et les compétences linguistiques, et encouragent les enfants à penser.

Votre enfant sait ce qu'il peut faire, mais il lui arrive de surestimer ses capacités. Aidez-le plus possible à réussir afin de consolider son sentiment de compétence. Plus il aura confiance en lui, plus il réussira dans ses entreprises… maintenant et plus tard. Aidez-le à se faire des tas d'amis afin de lui inculquer les aptitudes sociales nécessaires aux activités de groupe. La capacité d'entrer en relation aidera votre enfant à mieux s'adapter à la garderie.

Ne réprimez jamais les émotions de votre enfant, fournissez-lui plutôt des mots pour les exprimer. Comme nous l'avons déjà mentionné, les activités artistiques aident l'enfant à épancher les émotions les plus difficiles à partager.

Votre enfant a deux ans et désormais rien ne peut l'arrêter! Essayez de suivre son rythme même s'il semble doté d'une énergie inépuisable.

Bouche de clown

Maintenant que votre enfant est plus habile à coordonner ses yeux et ses mains et à évaluer les relations spatiales, il est prêt à jouer à Bouche de clown. Voyez-le jubiler chaque fois qu'il atteint sa cible.

Types d'apprentissage

- Coordination visuelle-manuelle
- Motricité fine et globale
- Relations spatiales

Matériel

- Grosse caisse en carton
- Crayons feutres
- Ciseaux
- Crayons de couleur, peinture ou marqueurs
- Poches de sable, éponges ou chaussettes roulées

Marche à suivre

1. Avec les crayons feutres, dessinez une face de clown sur une grosse caisse en carton. Tracez deux yeux assez grands pour laisser passer une poche de sable et une bouche ronde (plus grande que les yeux).
2. Découpez les yeux et la bouche avec des ciseaux.
3. Complétez la face du clown en y coloriant ou y peignant des cils, un nez, des cheveux, etc.
4. Appuyez la figure contre un mur et empilez des poches de sable, des éponges ou des chaussettes roulées à environ un mètre de distance.
5. Dites à votre enfant de se placer près des projectiles et de les lancer dans la bouche du clown.
6. Lorsqu'il n'aura plus aucun mal à atteindre sa cible, dites-lui de viser les yeux.

Variante

Découpez cinq orifices de tailles différentes et accordez des points à votre enfant en fonction de la taille de la cible atteinte.

Mise en garde

Donnez-lui uniquement des objets mous en guise de projectiles afin qu'il ne casse rien si un projectile... s'égare!

Danser jusqu'à l'épuisement

La plupart des enfants adorent s'exprimer par la musique et la danse. Donnez au vôtre l'occasion de bouger son corps d'une manière créative tout en s'amusant.

Matériel

- Musiques variées telles que rumba, valse, polka, rock'n'roll, danses carrées, etc.
- Magnétophone
- Vaste surface de plancher

Marche à suivre

1. Enregistrez chaque type de musique pendant un temps assez long pour pouvoir apprécier la chanson et danser sur elle. Faites se succéder les morceaux de manière à obtenir une musique ininterrompue.
2. Mettez la musique en marche et placez-vous au milieu de la pièce.
3. Dansez sur le premier morceau et encouragez votre enfant à danser avec vous.
4. Dès que la musique change, modifiez votre style de danse et invitez l'enfant à faire de même.
5. Dansez jusqu'à ce que vous tombiez d'épuisement.

Types d'apprentissage

- Équilibre et rythme
- Conscience du corps
- Créativité
- Capacité d'écouter

Variante

Laissez votre enfant choisir un style de danse en fonction de la musique et imitez-le.

Mise en garde

Dégagez bien la pièce pour ne pas buter sur quoi que ce soit en dansant! Faites une pause de temps en temps si vous êtes fatigués.

Défilé de mode

Il semble que votre enfant soit impatient de grandir et de ressembler en tous points à papa ou à maman. Donnez-lui la chance de s'exercer à être adulte — ou du moins de s'habiller comme tel —, puis organisez un défilé de mode.

Matériel

- Variété de vêtements tels que chapeaux, vestons, gants, perruques, chaussures, pantalons, chemises, robes, écharpes, bijoux, etc.
- Grande glace

Marche à suivre

1. Fouillez dans une friperie pour trouver une variété de vêtements faciles à enfiler, confortables et surtout, amusants à porter.
2. Mettez tous les vêtements dans une boîte que vous placerez au milieu de la pièce.
3. Explorez la boîte de vêtements avec votre enfant.
4. Enfilez quelques vêtements, puis admirez-vous dans la glace.
5. Une fois vêtus de pied en cap, faites un défilé de mode et déambulez dans le quartier (ou la maison).

Types d'apprentissage

- Identification des sexes
- Conscience de soi
- Apprentissage de l'autonomie (s'habiller)
- Mise en séquence

Variante

Rassemblez plusieurs styles d'un même type de vêtement : chapeaux, chaussures, écharpes, perruques, etc.

Mise en garde

Surveillez votre enfant pour ne pas qu'il s'emmêle dans les vêtements. Assurez-vous qu'il ne mélange pas les tissus à carreaux et les tissus à fleurs. (Je blague!)

Histoire feutrée

Le langage et le vocabulaire de votre enfant se développent à pas de géant, mais il arrive parfois qu'il manque de mots pour s'exprimer. Fournissez-lui un simple tableau de flanelle et laissez-le raconter son histoire!

Matériel

- Un mètre de feutre ou de flanelle de couleur neutre
- Tableau noir, panneau d'affichage ou feuille de contreplaqué mesurant environ 1 m sur 1 m
- Colle
- Morceaux de feutre de couleurs variées
- Livres favoris de l'enfant: *Les trois petits cochons*, *Blanche-Neige et les sept nains*, *Peter Pan*, etc.
- Ciseaux
- Crayons feutres

Marche à suivre

1. Recouvrez un tableau noir, un panneau d'affichage ou une feuille de contreplaqué de flanelle ou de feutre de couleur neutre. Collez le tissu et laissez sécher la colle.

Types d'apprentissage

- Expression émotionnelle
- Motricité fine
- Langage et vocabulaire
- Interaction sociale

2. Feuilletez un des livres préférés de l'enfant pour choisir les personnages que vous voulez créer, puis découpez ces derniers dans du feutre. Par exemple, si vous vous inspirez des *Trois petits cochons*, découpez trois cochons dans du feutre rose, un loup dans du feutre noir et un mouton dans du feutre blanc.
3. Avec les crayons feutres, ajoutez des détails aux personnages.
4. Appuyez le tableau sur un mur.
5. Asseyez l'enfant devant le tableau et placez-y les personnages en feutre.
6. Racontez l'histoire en déplaçant les personnages.

Variante

Découpez toutes sortes de formes dans le feutre et laissez votre enfant les agencer à sa guise sur le tableau.

Mise en garde

Assurez-vous que le tableau est stable et ne risque pas de tomber sur l'enfant.

Content, triste, fâché

Votre enfant ressent des émotions dès le moment où il naît et même avant. Ses premières émotions englobent la détresse, la surprise et la colère. Le jeu qui suit l'aidera à explorer tous ses sentiments.

Types d'apprentissage

- Cognition
- Expression émotionnelle
- Langage et vocabulaire

Matériel

- Assiettes en carton
- Crayons feutres
- Abaisse-langue (facultatif)
- Livre d'images

Marche à suivre

1. Dessinez divers visages sur des assiettes en carton, chacun reflétant une émotion différente : contentement, tristesse, colère, bonheur, lassitude, peur, etc.
2. Si vous le désirez, collez un abaisse-langue en guise de poignée au bas de chaque assiette.

3. Prenez votre enfant sur vos genoux et lisez-lui une histoire dans laquelle les personnages expriment des émotions.
4. Lorsqu'une émotion apparaît dans l'histoire, prenez l'assiette correspondante et placez-la devant votre visage.
5. Expliquez à l'enfant le vocabulaire relatif à l'émotion et invitez-le à afficher l'expression appropriée.
6. Poursuivez votre lecture en montrant les figures au moment opportun.

Variante

Montrez les figures à l'enfant l'une après l'autre et laissez votre propre visage refléter l'émotion tout en la décrivant. Par exemple, si la figure de l'assiette représente la colère, dites : «Je suis en colère!»

Mise en garde

Prenez garde de heurter votre enfant avec les abaisse-langue. Leur emploi est tout à fait facultatif. Si vous ne les utilisez pas, tenez simplement l'assiette en carton par le rebord.

Complémentaires

Cette version avancée du jeu des paires fait appel aux capacités cognitives supérieures de votre enfant. Rendez le jeu encore plus amusant en lui offrant des tas d'objets attrayants et complémentaires.

Matériel

- Paires d'objets tels qu'une clé et un cadenas, un crayon et une feuille de papier, un savon et un gant de toilette, du fromage et des craquelins, une chaussette et une chaussure, une vis et un écrou, etc.
- Table

Marche à suivre

1. Rassemblez un certain nombre d'objets complémentaires comme ceux que nous suggérons ci-dessus. Si vous le voulez, vous pouvez y inclure une ou deux paires plus complexes pour stimuler votre enfant.
2. Mettez tous les objets sur la table sans les accoupler.
3. Emmenez votre enfant à la table et montrez-lui les objets.

Types d'apprentissage

- Classification et tri
- Coordination visuelle-manuelle
- Motricité fine
- Raisonnement

4. Choisissez-en un et demandez-lui de trouver son complément parmi les autres objets. Donnez-lui des indices si nécessaire.
5. Lorsqu'il l'aura trouvé, félicitez-le, mettez la paire de côté et choisissez un autre objet.
6. Poursuivez le jeu jusqu'à ce que vous ayez formé toutes les paires.

Variante

Lorsque votre enfant aura maîtrisé ce jeu, utilisez des images. Celles-ci augmentent la difficulté du jeu et permettent un choix plus vaste d'objets.

Mise en garde

Choisissez uniquement des objets qui sont sans danger pour votre enfant.

Musique cachée

C'est par ses sens que votre enfant apprivoise son univers. La perception provoque une réaction motrice qui stimule des niveaux supérieurs de raisonnement. Le jeu qui suit fait appel à deux des sens les plus importants de votre enfant : l'ouïe et la vue.

Types d'apprentissage

- Motricité globale
- Résolution de problèmes
- Sens de l'ouïe
- Sens de la vue

Matériel

- Jouet musical à remonter ou magnétophone à piles
- Salle de jeu

Marche à suivre

1. Remontez ou mettez en marche le jouet musical et cachez-le dans la salle de jeu.
2. Invitez votre enfant à trouver le jouet en se fiant uniquement à son ouïe.
3. Lorsqu'il aura trouvé le jouet, félicitez-le, demandez-lui de sortir de la pièce, puis cachez de nouveau le jouet.

Variante

Laissez l'enfant cacher le jouet à son tour. Cachez deux jouets musicaux afin de l'obliger à différencier les sons.

Mise en garde

Ne cachez pas le jouet trop loin. Votre enfant doit pouvoir le trouver assez facilement sans avoir à grimper sur les meubles ou à retourner des objets.

Maman, tu permets ?

À mesure que les compétences linguistiques de votre enfant s'affinent, il réagit à divers types de discours. À une déclaration, il opposera une réaction, à une question, il donnera une réponse et à un ordre, il jouera à «Maman, tu permets?»

Types d'apprentissage

- Motricité globale
- Acquisition du langage
- Capacité d'écouter
- Interaction sociale

Matériel

- Corde ou ruban adhésif
- Vaste aire de jeu dégagée

Marche à suivre

1. Placez un bout de corde ou de ruban sur le sol d'un côté de l'aire de jeu et un autre morceau en parallèle plusieurs mètres plus loin pour représenter la ligne d'arrivée.
2. Placez votre enfant derrière l'une des lignes et dites-lui d'attendre vos instructions.
3. Placez-vous derrière la ligne d'arrivée.
4. Expliquez les règles du jeu à l'enfant. Il doit demander la permission en disant : «Maman, tu permets?» avant d'obéir à l'ordre que vous lui donnerez.
5. Donnez-lui un ordre du genre : «(Nom), tu peux faire trois pas.»
6. Attendez qu'il vous dise : «Maman, tu permets?» Et répondez alors : «Oui, je te le permets» ou «Non, je ne te le permets pas». Si vous lui accordez la permission, attendez qu'il s'exécute, puis donnez-lui un nouvel ordre.

7. S'il oublie de dire «Maman, tu permets?», il doit retourner derrière la ligne et recommencer à zéro.
8. Lorsqu'il franchit la ligne d'arrivée, laissez-le tenir votre rôle.

Variante

Invitez d'autres enfants à jouer à ce jeu avec votre enfant. Émaillez le parcours de petits jouets ou de gâteries que les enfants pourront ramasser.

Mise en garde

Retirez tous les obstacles de l'aire de jeu.

Habits de papier

Au moment où votre enfant croit avoir percé tous les secrets de l'habillement, offrez-lui un costume flambant neuf. Mais attention! Il s'agit d'un habit d'un genre particulier que votre enfant devra retirer d'une manière tout à fait unique.

Types d'apprentissage

- Motricité fine et globale
- Résolution de problèmes
- Sens du toucher

Matériel

- Grandes feuilles de papier crépon ou de papier de boucherie
- Ruban de cellophane
- Miroir

Marche à suivre

1. Achetez suffisamment de papier pour couvrir le corps de votre enfant.
2. Placez-le devant le miroir et déshabillez-le en ne lui laissant que sa couche.
3. Confectionnez-lui un nouvel habit en enroulant le papier crépon ou le papier de boucherie autour de son corps, tandis qu'il vous observe dans le miroir.
4. Attachez les extrémités avec du ruban.
5. Invitez l'enfant à admirer son nouveau costume dans le miroir.
6. Lorsqu'il aura fini de s'admirer, demandez-lui comment il fera pour le retirer.

Variante

Essayez d'autres sortes de papier comme du papier ciré, les pages des bandes dessinées du journal, des bandes plutôt que des feuilles de papier crépon, etc.

Mise en garde

Ne couvrez pas le visage de l'enfant avec le papier pour qu'il puisse respirer à son aise et vous observer. Ne lui faites pas un vêtement trop serré ou inconfortable, car vous lui gâcheriez son plaisir.

Deux crocodiles

Voici un jeu qui fera faire beaucoup d'exercice à votre enfant. Vous pouvez inventer vos propres mouvements tout en chantant.

Matériel

- Vaste aire de jeu
- Votre voix

Types d'apprentissage

- Conscience du corps
- Motricité globale
- Langage et vocabulaire
- Écouter des instructions et y obéir
- Interaction sociale

Marche à suivre

1. Habillez-vous et habillez votre enfant le plus confortablement possible.
2. Placez-vous au milieu d'une aire de jeu dégagée.
3. Chantez la chanson ci-dessous en exécutant les mouvements appropriés.

Deux crocodiles

Deux crocodiles s'en allant à la fête
Disaient adieu sans retourner la tête.
(Avancez en rampant.)
Deux escargots... (Roulez-vous en boule sur le sol.)
Deux kangourous... (Faites de grands bonds à gauche et à droite.)
Deux chimpanzés... (Faites mine de grimper à un arbre.)
Deux éléphants... (Martelez le sol de vos pieds.)

Variante

Personnalisez une de vos comptines ou chansons préférées en y ajoutant des couplets de votre cru. Essayez *Sur le pont d'Avignon*, *Savez-vous planter des choux*, *Dansons la capucine*, etc.

Mise en garde

Assurez-vous d'avoir assez d'espace pour pouvoir jouer sans heurter quoi que ce soit. Ne tournoyez pas trop vite pour ne pas donner le vertige à votre enfant.

Gribouillages

Votre enfant pourra bientôt écrire son nom, mais le premier pas vers la maîtrise de cette aptitude motrice fine est le gribouillage. Les gribouillages se changent en croquis, les croquis en dessins et en moins de rien, votre enfant écrit!

Types d'apprentissage

- Expression émotionnelle
- Motricité fine
- Acquisition du langage

Matériel

- Gros marqueurs
- Grandes feuilles de papier blanc
- Table pour enfant

Marche à suivre

1. Mettez les marqueurs et le papier sur la table.
2. Installez-y l'enfant.
3. Asseyez-vous avec lui et gribouillez ensemble. Encouragez-le à faire toutes sortes de traits comme des points, des lignes, des courbes et des cercles.
4. Au lieu de lui demander «Qu'est-ce que c'est?», faites-le parler de son œuvre.
5. Évitez autant que possible de lui donner des dessins à copier. Laissez-le plutôt gribouiller à son aise. À mesure qu'il apprendra à maîtriser les marqueurs, ses dessins deviendront plus réalistes.

Variante

Remplacez les marqueurs par de la peinture et des pinceaux ou achetez le matériel nécessaire pour faire de la peinture au doigt.

Mise en garde

Utilisez des marqueurs non toxiques et dites à votre enfant de ne pas les mettre dans sa bouche.

Sons similaires

Comme l'ouïe de votre enfant s'affine en même temps que ses capacités cognitives, il parvient à différencier beaucoup de sons. Vérifiez son acuité auditive d'une manière amusante avec le jeu qui suit.

Types d'apprentissage

- Différenciation
- Capacité d'écouter
- Interaction sociale

Matériel

- Dix petits contenants identiques munis d'un couvercle : contenants à pilules, contenants de margarine, petites boîtes ou verres en carton
- Cinq objets à placer à l'intérieur des contenants pour faire du bruit : riz, haricots secs, graines, pièces de monnaie, perles de plastique, sel, boulettes ou cailloux
- Table ou plancher

Marche à suivre

1. Placez les objets dans les contenants en formant des paires de manière à obtenir deux contenants de riz, deux de haricots secs et ainsi de suite.
2. Si les contenants sont transparents, recouvrez-les de papier d'aluminium.
3. Placez les contenants sur la table ou sur le sol et asseyez-vous près de votre enfant.

4. Prenez un des contenants et secouez-le.
5. Invitez l'enfant à en prendre un autre et à le secouer.
6. Demandez-lui si les sons sont semblables ou différents.
7. Continuez de secouer les contenants jusqu'à ce que l'enfant trouve celui qui produit le même bruit que le vôtre.
8. Poursuivez le jeu jusqu'à ce que l'enfant ait assorti tous les contenants, puis montrez-lui leur contenu.

Variante

Remplissez des verres avec diverses quantités de liquide, frappez-les avec une cuillère et écoutez les différents sons qu'ils produisent.

Mise en garde

Choisissez des contenants qui ferment bien et ne risquent pas de s'ouvrir avant que vous soyez prêt à dévoiler leur contenu à votre enfant.

Collants magiques

Transformez la salle de bain en divertissement en jouant à Collants magiques dans la baignoire. Votre bambin sera enchanté de voir les petits personnages et les formes adhérer comme par magie aux parois de la baignoire.

Types d'apprentissage

- Cause et effet
- Créativité et imagination
- Motricité fine

Matériel

- Livre d'images bon marché que vous découperez sans remords
- Papier contact transparent
- Ciseaux
- Baignoire et eau

Marche à suivre

1. Achetez un livre d'images bon marché que votre enfant aime beaucoup tel qu'un livre de Walt Disney ou un album de bandes dessinées.
2. Découpez les personnages du livre et certains accessoires, si vous le désirez. Vous pouvez découper plusieurs représentations du même personnage dans différentes positions : assis, debout, en train de courir. Les accessoires peuvent englober des meubles, des jouets, une maison ou une voiture.
3. Coupez une bande de papier contact, retirez la pellicule protectrice et posez la bande sur la table, côté collant sur le dessus.
4. Collez les figures sur le papier en laissant 2 ou 3 cm entre chacune.
5. Placez une autre bande de papier contact sur la première, côté collant en dessous cette fois, afin de plastifier les figures et de les rendre imperméables.
6. Découpez soigneusement les figures en laissant une marge de quelques millimètres. Si vous coupez trop près du bord, les bandes de papier contact se décolleront.
7. Remplissez la baignoire d'eau chaude.
8. Mettez-y l'enfant et jetez-y les images plastifiées.
9. Pressez l'une des figures mouillées sur une paroi de la baignoire et voyez comme elle y adhère !

Variante

Il n'est pas nécessaire d'être dans la baignoire pour apprécier ce jeu. Remplissez une petite piscine d'enfant à l'extérieur, plongez-y une plaque à biscuits en métal et collez-y les figures.

Mise en garde

Ne quittez jamais votre enfant quand il se trouve dans l'eau.

Conte à répétition

Quand votre enfant prise une activité, il veut qu'elle se répète encore et encore. Voici une manière amusante de réaliser son vœu tout en stimulant ses capacités cognitives.

Matériel

- Magnétophone
- Cassette vierge
- Livre d'images
- Endroit confortable pour écouter

Types d'apprentissage

- Langage et vocabulaire
- Capacité d'écouter
- Apprentissage de l'autonomie (lecture)

Marche à suivre

1. Prenez un livre d'images et installez votre enfant sur vos genoux.
2. Mettez le magnétophone en marche pour enregistrer votre voix.
3. Lisez l'histoire à l'enfant en articulant clairement.
4. À la fin de l'histoire, arrêtez le magnétophone et rembobinez la cassette.
5. Installez votre enfant confortablement et donnez-lui le livre d'images.
6. Placez le magnétophone à côté de lui et mettez-le en marche ou montrez-lui comment faire.
7. Invitez-le à tourner les pages du livre pour suivre l'histoire diffusée par le magnétophone.

Variante

Inventez une histoire et laissez votre enfant utiliser son imagination pour se représenter ce qui se passe.

Mise en garde

Utilisez un magnétophone portable spécialement conçu pour les enfants.

Devinette alimentaire

Votre enfant mange une nourriture de plus en plus variée et s'habitue à des saveurs nouvelles. S'il est capricieux et lève le nez sur tout ce qui est vert, essayez le test de saveur qui suit et transformez l'heure des repas en divertissement.

Types d'apprentissage

- Classification
- Exploration
- Disposition à prendre des risques
- Sens du goût

Matériel

- Quelques aliments de texture similaire que votre enfant aime beaucoup : compote de pommes, pouding, purée de pommes de terre, gelée de fruits, soupe, céréale, yaourt, etc.
- Bols
- Table
- Cuillère
- Bandeau

Marche à suivre

1. Choisissez divers aliments de texture similaire comme ceux que nous suggérons ci-dessus.
2. Mettez-les dans des bols individuels et disposez les bols en rangée sur la table.
3. Installez votre enfant à la table et donnez-lui une cuillère.
4. Montrez-lui les aliments un à un et dites-lui que vous allez jouer à un jeu.
5. Demandez-lui de fermer les yeux ou mettez-lui un bandeau.
6. Prenez une petite quantité d'un aliment avec la cuillère et faites-le goûter à l'enfant.
7. Retirez-lui son bandeau et demandez-lui de deviner ce qu'il a mangé.
8. Recommencez jusqu'à ce qu'il ait goûté à tous les aliments.

Variante

Reprenez ce jeu en utilisant uniquement des fruits, des légumes, des céréales ou d'autres catégories d'aliments.

Mise en garde

Ne jouez pas de mauvais tours à votre enfant en lui donnant un aliment qu'il n'aime pas, car vous détruiriez sa confiance en vous.

Jeu de quilles

Au lieu de laisser votre enfant faire rouler un ballon sans but, mettez-le au défi de renverser des objets comme dans un jeu de quilles.

Matériel

- De 6 à 10 objets pouvant servir de quilles : boîtes de lait vides, bouteilles vides en plastique, verres en carton renversés, etc.
- Vaste surface dégagée
- Ficelle ou ruban adhésif
- Ballon de volley-ball, de basket-ball ou autre

Marche à suivre

1. Disposez les «quilles» en triangle comme dans un vrai jeu de quilles.
2. Reculez de plusieurs pas et tracez une ligne avec de la ficelle ou du ruban adhésif.
3. Placez l'enfant derrière la ligne.
4. Donnez-lui le ballon et dites-lui qu'il doit le faire rouler de manière à renverser tous les objets.
5. Laissez-le se reprendre jusqu'à ce qu'il ait abattu tous les objets.
6. Relevez les «quilles» et recommencez le jeu.

Types d'apprentissage

- Cause et effet
- Coordination visuelle-manuelle
- Motricité globale

Variante

Alignez une grande quantité de dominos debout. Donnez à l'enfant une petite balle et dites-lui de la faire rouler en direction du premier domino de manière à provoquer une réaction en chaîne qui renversera tous les dominos.

Mise en garde

N'utilisez pas une vraie boule de quilles, car elle serait trop pesante pour votre enfant. N'employez pas d'objets fragiles en guise de quilles.

Et lance !

Voici un jeu animé et interactif qui fera bouger, rire et gagner votre petit athlète. Vous tenez le rôle du panier et votre enfant, celui du lanceur.

Matériel

- Petites balles comme des balles de tennis ou des balles de ping-pong
- Grands contenants légers comme un seau, une caisse en carton ou un sac
- Vaste aire de jeu

Types d'apprentissage

- Coordination visuelle-manuelle
- Motricité globale
- Interaction sociale

Marche à suivre

1. Rassemblez plusieurs petites balles et mettez-les par terre près de votre enfant.
2. Trouvez un contenant facile à tenir et assez grand pour vous permettre d'attraper les balles.
3. Tenez le contenant dans vos mains à la hauteur de votre enfant.
4. Invitez celui-ci à lancer une balle dans le contenant.
5. Déplacez le contenant afin d'attraper la balle. En conjuguant vos efforts, vous devriez parvenir à mettre toutes les balles dans le contenant.
6. Lorsque c'est le cas, redonnez les balles à l'enfant et recommencez le jeu.

Variante

Donnez le contenant à votre enfant pour qu'il le tienne et lancez les balles dedans.

Mise en garde

Lancez les balles doucement en évitant soigneusement le visage de votre enfant. Choisissez un contenant dont les bords ne sont pas coupants.

Grand lessivage

Au contraire de Tom Sawyer qui répugnait à peindre la clôture, la plupart des enfants adorent accomplir un «vrai travail» même s'ils font seulement semblant. Donnez à votre enfant un pinceau et un seau d'eau et regardez-le briquer son univers.

Matériel

- Un gros pinceau propre
- Articles de nettoyage sans danger pour les enfants : éponges, serviettes, raclette en caoutchouc, vaporisateurs, chiffons à poussière, plumeau, etc.
- Deux petits seaux
- Eau

Marche à suivre

1. Mettez tous les articles de nettoyage dans un seau pour que votre enfant puisse les transporter d'un endroit à l'autre.
2. Remplissez d'eau l'autre seau.

Types d'apprentissage

- Cause et effet
- Estime de soi-même
- Coordination visuelle-manuelle
- Motricité globale

3. Emmenez votre enfant dehors et montrez-lui comment «peindre» la maison avec le pinceau et l'eau.
4. Laissez-le ensuite explorer les autres articles de nettoyage et les utiliser comme il vous a vu le faire.
5. Félicitez votre enfant pour le magnifique travail qu'il a accompli.

Variante

Lorsque vous vaquez aux soins du ménage, laissez votre enfant vous aider à sa façon ou confiez-lui un projet similaire qu'il peut réaliser seul.

Mise en garde

Choisissez des articles de nettoyage sans danger pour votre enfant. C'est une excellente occasion de l'instruire sur les dangers des produits nocifs, en l'occurrence les produits de nettoyage.

Qu'y a-t-il dedans ?

Votre enfant est si curieux à cet âge qu'il mérite souvent le sobriquet de Petit Scientifique. Comme il aime démonter les objets pour voir ce qu'ils contiennent, voici un jeu susceptible de stimuler votre Einstein en herbe!

Matériel

- Sacs-repas en papier
- Petits articles pouvant y être insérés: jouets, brosse à cheveux, gobelet pour enfant, couche, balle, poupée, trousseau de clés, chaussure, etc.
- Ruban adhésif transparent

Marche à suivre

1. Rassemblez un certain nombre d'objets familiers à votre enfant comme ceux que nous suggérons ci-dessus.
2. Glissez-en un dans chaque sac-repas, fermez-le et collez-le avec du ruban adhésif.
3. Asseyez-vous par terre avec l'enfant et cachez les sacs dans votre dos.
4. Sortez un sac et dites: «Je me demande ce qu'il y a dedans», tout en le palpant avec l'enfant.
5. Demandez-lui de deviner son contenu. S'il n'y parvient pas, faites-lui une suggestion trompeuse afin d'amorcer son processus de réflexion.

Types d'apprentissage

- Classification et identification
- Cognition et réflexion
- Motricité fine
- Résolution de problèmes

6. Continuez de palper et d'émettre des opinions. Si l'enfant déclare forfait, ouvrez le sac et laissez-le tâter l'objet sans le regarder. Voyez s'il arrive à l'identifier.
7. Lorsque vous aurez fini de deviner, sortez l'objet du sac pour voir si l'enfant avait vu juste.

Variante

Laissez votre enfant remplir une série de sacs pour que vous deviniez à votre tour ce qu'ils renferment.

Mise en garde

Évitez les objets qui risqueraient de blesser l'enfant quand il les explorera avec ses mains.

Cherchez l'erreur

Votre enfant essaie toujours de comprendre comment fonctionne le monde au moment où vous lui proposez le jeu qui suit. Voyez s'il détecte l'erreur et sait comment la corriger.

Matériel

- Livre d'images
- Chaussure et chaussette
- Brosse à dents et dentifrice
- Bol et eau
- Craquelin et beurre d'arachide

Marche à suivre

1. Rassemblez les articles ci-dessus ou d'autres objets qui peuvent être mis à l'envers, retournés ou modifiés de façon à ne plus présenter leur apparence coutumière.
2. Asseyez votre enfant sur vos genoux. Prenez un livre d'images sens dessus dessous et commencez votre lecture. Voyez si l'enfant se rend compte que le livre est à l'envers et le remet à l'endroit.
3. Enfilez une chaussure au pied de l'enfant puis une chaussette. Voyez s'il remarque votre erreur et tente de la rectifier.
4. Étalez du dentifrice sur le dos de la brosse à dents plutôt que sur les poils. Voyez si l'enfant devine ce qui cloche et s'il redresse la situation.

Types d'apprentissage

- Motricité fine
- Résolution de problèmes
- Interaction sociale

5. Versez de l'eau dans un bol et dites à l'enfant que vous lui avez apporté à boire. Voyez s'il remarque le contenant absurde et s'il demande un verre.
6. Étalez du beurre d'arachide sur un craquelin et placez-le à l'envers dans une assiette. Voyez si l'enfant le remet à l'endroit.

Variante

Donnez quelques tournures bizarres à la vie quotidienne de votre enfant et voyez s'il les remarque et s'il s'efforce de les corriger. Par exemple, mettez votre chapeau ou vos vêtements à l'envers, mangez avec les mauvais couverts, teintez le riz avec du colorant alimentaire, et ainsi de suite.

Mise en garde

Assurez-vous que votre enfant ne risque pas de se blesser en faisant ces choses absurdes.

DE 30 À 36 MOIS

Votre enfant a presque trois ans et il est prêt à affronter le monde. Il est en forme, intelligent, sûr de lui et impatient de rejoindre ses camarades sur les bancs de la prématernelle ou au terrain de jeu. Comme il est vite passé de l'état de bébé dépendant qui ne parlait ni ne marchait à celui de jeune enfant qui exprime le fond de sa pensée, fait ce qu'il veut et se connaît lui-même!

Comme sa motricité globale se développe, il pourra bientôt faire du vélo, patiner, skier, sauter à la corde, jouer à la marelle et même faire de la planche à roulettes. Il court plus vite, saute plus haut et possède une plus grande endurance physique.

Votre enfant fait aussi de grands progrès sur le plan de la motricité fine. Il pourra bientôt tracer les lettres de l'alphabet et écrire son nom, et ses dessins complexes seront clairs et empreints de signification. Il peut s'habiller, manger et se laver seul, et cette autonomie lui confère un sentiment d'indépendance et de compétence.

Votre enfant adore poser des questions, surtout «Pourquoi?», tandis qu'il assemble les pièces du casse-tête que constitue son environnement. Il peut suivre des instructions simples, examiner ses problèmes en détail jusqu'à un certain point et résoudre la plupart de ses difficultés.

Ses compétences linguistiques sont remarquables: il apprend de 6 à 10 nouveaux mots par jour. À certains moments, son vocabulaire risque de vous surprendre et vous l'entendrez utiliser des mots ou des expressions comme «C'est méprisable!» ou «Je suis très en colère aujourd'hui!» S'il laisse échapper de vilains mots, expliquez-lui que vous n'utilisez pas ces mots et n'y prêtez plus attention par la suite. Dans la mesure où vous donnez l'exemple, ils perdront vite leur attrait pour votre enfant.

Votre enfant devrait posséder une image positive de lui-même, car il accomplit un nombre de plus en plus grand de tâches et résout des difficultés croissantes. Pendant les années scolaires, son estime de soi perdra peut-être quelques plumes, mais si elle a été solidement bâtie pendant sa petite enfance, il retrouvera sa belle assurance d'autrefois. Donnez-lui des tas d'occasions de réussir et de faire des choses par lui-même afin de renforcer son estime de soi.

Comme votre enfant apprend à donner en retour et commence à éprouver de l'empathie, ses amitiés sont plus durables et ses désagréments moins nombreux. Ses émotions devenant plus complexes, votre enfant est plus apte à les exprimer à travers le mouvement, le langage et le dessin. Encouragez-le à les épancher d'une manière acceptable pour qu'il développe sa propre capacité d'adaptation en grandissant.

Et en parlant de grandir... votre enfant pousse comme un champignon? Alors profitez bien de cette période, car il aura bientôt quatre ans!

Sac de plaisir

Votre enfant adore les surprises, surtout lorsqu'elles sont créatives et qu'elles stimulent son imagination comme celles que renferme le Sac de plaisir.

Matériel

- Quatre sacs en papier
- Trois objets assortis pour chaque sac. Par exemple : savon, gant de toilette et bateau en plastique (pour le bain) ; cuillère, assiette et tasse (pour manger) ; chaussures, chemise et pantalon (pour s'habiller).

Types d'apprentissage

- Cognition et réflexion
- Identification et classification
- Acquisition du langage
- Interaction sociale

Marche à suivre

1. Dans un sac en papier, mettez trois articles assortis comme ceux que nous suggérons ci-dessus.
2. Remplissez les deux autres sacs de la même façon.
3. Asseyez votre enfant par terre et montrez-lui le premier sac.
4. Ouvrez-le et laissez l'enfant en extraire un objet sans voir les autres.
5. Demandez-lui d'identifier l'objet puis de deviner quels autres objets se trouvent dans le sac.
6. S'il identifie correctement l'un des objets, sortez-le du sac et montrez-le-lui.
7. Puis demandez-lui d'identifier le dernier objet.
8. S'il n'y parvient pas, montrez-lui le lien qui existe entre les premier et deuxième objets. Puis demandez-lui d'identifier le troisième.
9. Quand il aura identifié les trois objets, demandez-lui ce qu'ils ont en commun.
10. Recommencez avec les autres sacs.

Variante

Jouez à ce jeu avec des aliments. Placez trois aliments ayant un rapport entre eux sur la table. Par exemple : croûte ou pâte à pizza, sauce à pizza et fromage râpé. Demandez à l'enfant quel mets on obtient en assemblant les trois aliments.

Mise en garde

Choisissez des objets qui sont sans danger pour l'enfant et qu'il connaît bien pour qu'il puisse au moins en identifier quelques-uns correctement.

Imitateur

Votre enfant est un formidable imitateur, car il apprend entre autres par l'imitation. Renversez la situation à ses dépens et imitez-le à votre tour!

Matériel

- Vos corps

Marche à suivre

1. Emmenez votre enfant dans la salle de jeu et faites-le asseoir par terre.
2. Asseyez-vous à côté de lui en imitant en tous points sa posture.
3. Chaque fois qu'il bouge ou fait quelque chose, faites exactement comme lui.
4. Devinez à quel moment il aura compris votre petit manège.

Types d'apprentissage

- Cause et effet
- Motricité fine et globale
- Interaction sociale

Variante

Au lieu d'imiter votre enfant, faites un geste et invitez-le à vous imiter. Par exemple, frappez dans vos mains trois fois, puis dites à l'enfant de faire de même. Continuez de faire des mouvements et d'encourager votre enfant à vous copier. Puis demandez-lui de diriger les mouvements et imitez-les.

Mise en garde

Cessez le jeu si votre enfant fait des mouvements dangereux et réglez le problème avant de continuer. Évitez de taquiner l'enfant ou de le contrarier en l'imitant.

Dinosaure fossile

Les enfants de cet âge adorent les dinosaures. S'ils sont incapables de prononcer le mot spaghetti, ils n'ont aucun problème avec Tyrannosaurus Rex. Voici un jeu qui amusera votre archéologue en herbe.

Matériel

- Os de dinosaure en plastique (vous les trouverez dans les magasins de jouets ou les magasins d'objets scientifiques)
- Carré de sable
- Cuillère ou petite pelle en plastique

Marche à suivre

1. Séparez les fragments d'un squelette de dinosaure et enfouissez les os dans le sable.
2. Donnez à l'enfant un cuillère ou une petite pelle en plastique et invitez-le à chercher des os de dinosaure en creusant dans le sable.

Types d'apprentissage

- Capacités cognitives (relation entre une partie et l'ensemble)
- Motricité fine
- Acquisition du langage

3. Lorsqu'il en aura trouvé un, dites-lui de le poser sur le sol et d'en chercher d'autres.
4. Quand il aura découvert tous les os, assemblez le squelette du dinosaure.

Variante

Vous pouvez utiliser n'importe quel jouet comportant un grand nombre de pièces tel qu'un casse-tête pour enfant, un jeu de construction, une collection d'animaux de ferme, et ainsi de suite.

Mise en garde

Restez avec votre enfant pour vous assurer qu'il ne se met pas de sable dans les yeux.

Jeu des couvre-chefs

Votre enfant est doté d'une imagination fertile et il adore incarner différents personnages. Offrez-lui une grande variété d'objets pour stimuler son imagination, en commençant par une collection de chapeaux fascinants.

Types d'apprentissage

- Conscience du corps et sens du soi
- Jeu théâtral et imagination
- Motricité fine et globale

Matériel

- Chapeaux variés : casquette de base-ball, chapeau de paille, bonnet en laine ou en tissu polaire, casque de pompier, casquette militaire, chapeau à plume, chapeau de cow-boy, béret, écharpe, bonnet de bébé et couvre-chef en papier journal
- Miroir

Marche à suivre

1. Rassemblez une variété de chapeaux que vous prendrez dans une friperie, chez vos voisins ou dans votre armoire. Plus vous aurez de chapeaux, plus votre enfant pourra faire semblant.
2. Placez les chapeaux dans une grande caisse et fermez-la.
3. Posez la caisse à côté d'une glace dans la salle de jeu.
4. Invitez l'enfant à ouvrir la caisse et à prendre un chapeau.
5. Encouragez-le à le mettre, puis coiffez-vous-en à votre tour et admirez votre apparence dans le miroir.
6. Encouragez l'enfant à adopter le comportement qui va avec le chapeau. Par exemple, s'il porte une casquette de base-ball, il peut faire semblant de faire tournoyer un bâton.

Variante

Faites de même avec des chaussures, des perruques, des vêtements, des produits de maquillage, des masques, etc.

Mise en garde

Assurez-vous que les chapeaux sont propres et ne cachent pas d'épingles à l'intérieur !

Trier la lessive

Ce qui vous apparaît comme une corvée constitue souvent un divertissement pour votre enfant. Le jeu qui suit l'aidera à développer ses capacités de classifier et de raisonner... et en prime, vos vêtements propres seront triés !

Types d'apprentissage

- Conscience du corps
- Classification et tri
- Motricité fine et globale

Matériel

- Grand lot de lessive propre et sèche
- Surface de plancher propre

Marche à suivre

1. Une fois le linge lavé et séché, empilez-le sur le plancher propre.
2. Faites asseoir votre enfant près de vous et montrez-lui comment trier les vêtements par catégories simples. Par exemple, vous pouvez les trier par couleur, en mettant les rouges ensemble, les verts ensemble, les bleus ensemble, et ainsi de suite.
3. Après avoir trié la lessive en fonction d'une caractéristique, triez-la de nouveau en fonction d'une autre particularité comme la taille, la forme, le sexe, le membre de la famille, selon qu'un vêtement est vieux ou neuf ou muni d'une fermeture ou non.

Variante

Demandez à votre enfant de fermer les yeux et de deviner au toucher à quelle pile appartient un vêtement.

Mise en garde

Si votre enfant enfile un vêtement, assurez-vous qu'il ne s'entortille pas dedans.

D'où vient ce son ?

Votre enfant adore écouter la musique, les voix, les animaux. Stimulez sa capacité d'écouter en lui demandant de deviner la provenance de divers sons familiers. Tout ce qu'il vous faut, c'est un magnétophone portable.

Matériel

- Magnétophone portable et cassette
- Sons intéressants

Marche à suivre

1. Enregistrez une variété de sons intéressants au moyen d'un magnétophone : jappements de chien, chanson d'une émission que votre enfant aime, jouet musical, voix de papa, sonnerie du téléphone, cliquetis de clés, etc. Observez une pause entre chaque bruit.

2. Faites écouter la cassette à votre enfant et demandez-lui d'identifier chaque son. Si vous n'avez pas laissé suffisamment d'espace entre les bruits, arrêtez le magnétophone après chacun et laissez l'enfant deviner.

3. Repassez la cassette de nouveau, mais cette fois montrez-lui la provenance des sons au fur et à mesure.

Variante

Enregistrez des voix familières à l'enfant telles que celles de ses grands-parents, de sa gardienne, de son frère ou de sa sœur, d'amis ou de voisins, puis demandez-lui d'identifier les gens d'après le son de leur voix.

Mise en garde

Mettez le volume assez haut pour que votre enfant entende bien les sons mais sans sursauter.

Lunettes magiques

Bien que votre enfant possède déjà sa propre vision unique — et égocentrique — du monde, proposez-lui-en une nouvelle grâce aux lunettes magiques ci-dessous. Ne voulons-nous pas tous voir la vie en rose?

Types d'apprentissage

- Classification
- Créativité et imagination
- Stimulation et acuité visuelles

Matériel

- Carton flexible (ou dos d'une boîte de céréales)
- Crayon
- Ciseaux
- Feuilles de cellophane rouge, bleue, verte, jaune ou rose!
- Ruban masque ou ruban adhésif en toile

Marche à suivre

1. Découpez une bande de carton souple assez large pour couvrir les yeux de votre enfant et assez longue pour faire le tour de sa tête en se croisant légèrement.
2. Placez la bande de carton devant la figure de l'enfant et marquez l'emplacement des yeux au crayon.
3. Découpez deux grands trous pour que l'enfant puisse voir clairement à travers les lunettes.
4. Découpez une bande de cellophane rouge et collez-la sur les orifices.
5. Placez le masque, ruban adhésif à l'extérieur, sur le visage de l'enfant et assurez-vous qu'il voit bien. Collez les deux bouts de la bande de carton derrière sa tête.
6. Laissez l'enfant explorer son univers rouge.
7. Quand il en a assez du rouge, fabriquez-lui des lunettes bleues, puis des vertes et des jaunes.

Variante

Fabriquez un télescope plutôt que des lunettes! Couvrez l'extrémité d'un tube d'essuie-tout avec de la cellophane de couleur et laissez l'enfant explorer le monde avec un œil coloré!

Mise en garde

Assurez-vous que votre enfant peut retirer les lunettes facilement pour ne pas être effrayé.

Tout mélangé

Tandis que votre enfant assemble les pièces de son univers, proposez-lui des jeux qui stimulent sa capacité de mettre des éléments en séquence, car il en aura besoin pour apprendre à lire.

Matériel

- Séries de photos : réunion de famille, fête d'anniversaire, vacances, première journée à la maternelle, etc.
- Grande feuille de papier de bricolage blanc
- Crayon feutre
- Table

Marche à suivre

1. Fouillez dans l'album de photos familial pour trouver quatre photos reliées à un événement particulier. Choisissez des photos qui représentent le début, le milieu et la fin de l'événement. Par exemple : 1) Accueil des invités 2) Ouverture des cadeaux 3) Découpage du gâteau 4) Départ des invités.
2. Sur une grande feuille de papier de bricolage, tracez quatre carrés un peu plus grands que les photos l'un à côté de l'autre.
3. Numérotez-les de 1 à 4.
4. Installez l'enfant à la table et placez le papier de bricolage devant lui.

Types d'apprentissage

- Cause et effet
- Cognition et réflexion
- Mise en séquence et prélecture
- Discrimination visuelle

5. Étalez les quatre photos pour qu'il les voie bien.
6. Rappelez-lui l'événement en question, puis demandez-lui : «Qu'est-ce qui s'est passé en premier?» Voyez s'il trouve la photo correspondant au début de l'événement. S'il a besoin d'aide, fournissez-lui des indices.
7. Demandez-lui de placer la première photo dans le carré portant le numéro 1.
8. Cherchez la deuxième photo et continuez jusqu'à ce que toutes les photos soient placées en ordre.

Variante

Remplacez les photos par des images que vous découperez dans un livre pour enfant bon marché en prenant une page au début, deux au milieu et une à la fin. Invitez votre enfant à les placer en ordre.

Mise en garde

Si votre enfant s'impatiente, utilisez seulement trois photos et aidez-le en lui donnant des indices.

Peinture au pouding

Votre enfant aime organiser son univers en classifiant les choses. Certaines d'entre elles se chevauchent cependant, et quand vous proposez à votre enfant de nouvelles façons de penser, vous stimulez son développement cognitif. Voici donc un jeu inédit.

Types d'apprentissage

- Classification et raisonnement
- Expression émotionnelle et créative
- Motricité fine

Matériel

- Pouding
- Table recouverte de plastique
- Bavette ou blouse

Marche à suivre

1. Achetez ou confectionnez un pouding au parfum préféré de votre enfant.
2. Couvrez la table d'une nappe en plastique (ou utilisez une table que vous pouvez essuyer par la suite).
3. Mettez une bavette ou une blouse à l'enfant.
4. Asseyez-le à la table.
5. Versez une grosse cuillerée de pouding devant lui et laissez-le peindre au doigt. Montrez-lui comment faire au besoin.

Variante

Utilisez du pouding à la vanille et teintez-en des portions de diverses couleurs pour rehausser le plaisir visuel de l'enfant. Si vous voulez préserver un dessin formé dans le pouding, pressez une feuille de papier blanc dessus, soulevez-la délicatement, puis laissez-la sécher.

Mise en garde

Votre enfant peut goûter au pouding tout en jouant. Toutefois, quand il utilisera de la peinture au doigt, vous devrez lui montrer à ne pas en mettre dans sa bouche.

Réalité et représentation

Au moment où votre enfant commence à saisir les ressemblances et les différences entre le monde tridimensionnel et les images bidimensionnelles, jouez au jeu qui suit et voyez s'il peut assortir les objets réels et leur représentation.

Types d'apprentissage

- Classification et appariement
- Réalité *versus* représentation
- Discrimination visuelle

Matériel

- Photos de magazines représentant des objets familiers : dentifrice, nourriture pour bébé, chapeau, jouet, chaussures, montre, etc.
- Objets réels correspondant aux images

Marche à suivre

1. Trouvez des images représentant des objets que vous avez dans la maison tels que ceux que nous suggérons ci-dessus.
2. Rassemblez les objets représentés sur les images.
3. Disposez-les en rangée sur le sol ou sur la table.
4. Asseyez-vous avec votre enfant en face des objets.
5. Montrez à l'enfant une image représentant l'un des objets et demandez-lui de trouver l'objet correspondant.
6. Recommencez jusqu'à ce que l'enfant ait trouvé tous les objets correspondant aux images.

Variante

Laissez de côté quelques objets de sorte que certaines images ne soient assorties à rien et voyez si l'enfant devine quels objets manquent à l'appel. Au lieu d'assortir des objets identiques comme une brosse à dents et l'image d'une brosse à dents, assortissez des objets connexes comme une brosse à dents et du dentifrice.

Mise en garde

Choisissez des objets sans danger pour votre enfant et ne ménagez pas vos éloges et vos encouragements pour qu'il ne se décourage pas.

Sable et eau

Le sable et l'eau offrent à votre enfant une vaste gamme d'activités laissant place à l'imagination. Il lui suffit d'un bac de sable et d'un seau d'eau pour se croire à la plage tandis qu'il tamise, verse, presse et façonne.

Matériel

- Grande caisse en bois ou en carton
- Sable fin
- Seau d'eau
- Jouets pour la plage, animaux en plastique, figurines
- Tamis, tasses, pelles, cuillères et autres ustensiles de cuisine

Marche à suivre

1. Placez une grande caisse en bois ou en carton dans le jardin et versez-y au moins 30 cm de sable fin.
2. Mettez-y un seau d'eau, des jouets pour la plage et des ustensiles de cuisine.
3. Laissez votre enfant explorer le sable et utiliser son imagination pour tamiser, verser, enterrer et jouer.

Types d'apprentissage

- Cause et effet
- Motricité fine
- Imagination et jeu théâtral
- Exploration sensorielle

Variante

Enterrez quelques petits jouets dans le sable à l'insu de l'enfant et laissez-le découvrir ces trésors cachés.

Mise en garde

Gardez un œil sur votre enfant au cas où il se mettrait du sable dans la figure.

Jeu des coquilles

Pouvez-vous leurrer votre enfant? Cela était possible quand il était plus jeune, mais maintenant qu'il a grandi, ce n'est plus aussi facile. N'empêche, ne le laissez pas parier son fonds universitaire sur ce jeu de coquillages!

Types d'apprentissage

- Coordination visuelle-manuelle
- Résolution de problèmes
- Acuité et poursuite visuelles

Matériel

- Table
- Trois petites tasses ou bols de différentes couleurs
- Petites friandises, biscuits ou craquelins

Marche à suivre

1. Asseyez votre enfant à la table.
2. Placez les trois bols colorés à l'envers sur la table.
3. Mettez un bonbon, un biscuit ou un craquelin devant l'un des bols.
4. Couvrez-le avec le bol.
5. Déplacez les bols en maintenant l'attention de votre enfant sur la friandise cachée.
6. Demandez-lui: «Où est la friandise?»
7. Laissez-le soulever un bol pour vérifier si elle se trouve dessous.
8. S'il soulève le bon bol, laissez-le manger la friandise.
9. Recommencez le jeu.

Variante

Cachez des friandises sous les trois bols et demandez à l'enfant de trouver celle de votre choix. Pour augmenter la difficulté du jeu, utilisez trois bols de couleur identique.

Mise en garde

Déplacez les bols lentement pour permettre à l'enfant de suivre la friandise des yeux. Votre objectif est de le voir réussir, pas de le décourager.

Histoire saugrenue

Au moment précis où votre enfant croit avoir compris son univers, racontez-lui une histoire saugrenue pour l'inciter à réfléchir davantage. Ce jeu amusant se joue avec les livres de conte favoris de votre enfant.

Types d'apprentissage

- Cognition et réflexion
- Langage et vocabulaire
- Interaction sociale

Matériel

- Un des livres de contes favoris de votre enfant

Marche à suivre

1. Choisissez un des livres favoris de votre enfant, une histoire que vous lui lisez souvent.
2. Prenez votre enfant sur vos genoux et installez-vous confortablement.
3. Lisez l'histoire comme à votre habitude.
4. Au bout de quelques pages, au lieu de lire ce qui est écrit, donnez une tournure insolite à l'histoire. Par exemple, si vous lisez *Les trois petits cochons*, remplacez le loup par un gorille.

5. Observez une pause après avoir lu la partie insolite pour voir la réaction de l'enfant. S'il s'exclame : « Non ! Ce n'est pas ça ! », poursuivez votre lecture en lisant l'histoire originale pendant quelques pages de plus.
6. Puis surprenez l'enfant de nouveau en imprimant une autre tournure inattendue au récit.
7. Continuez d'insérer des détails insolites dans l'histoire jusqu'à la fin.

Variante

Faites de même avec une chanson favorite de votre enfant et changez les mots pour créer une chanson saugrenue telle que *Dans la bouche de Mathurin !*

Mise en garde

Si les modifications bouleversent votre enfant, remettez le jeu à plus tard.

Jeu de flair

Votre enfant est doté, dès la naissance, d'un excellent odorat. Il distingue maman de papa uniquement à leurs odeurs. Au moment où il commence à marcher, il sera enchanté d'exercer son odorat avec le jeu de flair que voici.

Types d'apprentissage

- Cause et effet
- Classification
- Exploration sensorielle

Matériel

- Objets odorants : eau de toilette, nourriture pour bébé, fleur, lotion pour bébé, lessive propre, jouet parfumé, morceau de plastique, pain de savon, etc.
- Sacs-repas en papier

Marche à suivre

1. Rassemblez une variété d'objets odorants comme ceux que nous suggérons ci-dessus. Choisissez des objets que votre enfant connaît bien.
2. Placez chaque objet dans un sac séparé et fermez-le.
3. Posez les sacs par terre et asseyez-vous avec l'enfant près des sacs.
4. Prenez un sac et ouvrez-le.
5. Humez son contenu pour montrer à l'enfant comment jouer, puis laissez-le sentir à son tour sans lui montrer le contenu du sac.
6. Demandez-lui de deviner ce qui se trouve à l'intérieur. Donnez-lui des indices au besoin.
7. Ouvrez le sac et laissez l'enfant sortir l'objet pour le regarder.
8. Recommencez avec tous les sacs.

Variante

Mettez uniquement des aliments dans les sacs : orange, banane, tranche de pain, biscuit, fromage fort, morceau de chocolat, légumes, etc.

Mise en garde

Évitez les objets qui ont une odeur trop forte ou déplaisante, car cela gâcherait le plaisir de l'enfant.

SNIFF...SNIFF!

S.O.S.

Voici un jeu de cache-cache qui se joue dans la baignoire ou dans la piscine pour enfant. Observez votre enfant tandis qu'il cherche à comprendre où est passé le bateau.

Matériel

- Baignoire, bac en plastique ou piscine pour enfant
- Eau
- Petits jouets en plastique comme des bateaux
- Gants de toilette

Marche à suivre

1. Remplissez la baignoire d'eau chaude.
2. Mettez-y votre enfant.
3. Jetez plusieurs jouets flottants dans l'eau tels que des petits bateaux en plastique.
4. Couvrez-les avec des gants de toilette.
5. Demandez à l'enfant : «Où sont passés les bateaux?» et voyez s'il les trouve.

Types d'apprentissage

- Motricité fine
- Résolution de problèmes
- Interaction sociale

Variante

Au lieu d'utiliser des jouets flottants, prenez des jouets qui coulent et demandez à l'enfant de les chercher au fond de la baignoire ou de la piscine.

Mise en garde

Surveillez toujours votre enfant quand il se trouve dans l'eau ou près de l'eau.

Course aux autocollants

Dans le jeu de cache-cache que voici, l'enfant cherche des autocollants plutôt que des personnes. Faites appel à votre imagination pour cacher les autocollants dans des endroits amusants.

Types d'apprentissage

- Motricité fine et globale
- Résolution de problèmes
- Poursuite et acuité visuelles

Matériel

- Divers autocollants
- Salle de jeu

Marche à suivre

1. Achetez des autocollants attrayants.
2. Collez-les sur divers objets de la salle de jeu : sur les meubles, les lampes, les jouets, le plancher ou les murs, les chaussures, etc. Faites en sorte qu'ils soient bien visibles.
3. Emmenez votre enfant dans la pièce et demandez-lui de chercher les autocollants que vous avez cachés.
4. Donnez-lui des indices si nécessaire en disant « Tu brûles » ou « Tu refroidis », selon qu'il se rapproche ou qu'il s'éloigne des objets.
5. Invitez-le à coller les autocollants sur son t-shirt à mesure qu'il les trouve.

Variante

Laissez l'enfant cacher les autocollants, puis cherchez-les vous-même. Remplacez les autocollants par de menus jouets, des friandises, des images ou tout objet susceptible de captiver l'enfant.

Mise en garde

Évitez de poser les autocollants là où votre enfant devra s'étirer, pousser, tirer, ramper ou faire tout autre effort dangereux pour les atteindre. Collez-les bien à la vue pour qu'il ne se décourage pas.

Conte théâtral

Transformez l'histoire favorite de votre enfant en pièce de théâtre vivante à l'aide de masques, d'accessoires et de costumes. Observez son ravissement en voyant les personnages sauter hors de son livre d'images pour atterrir sur la scène.

Types d'apprentissage

- Créativité et imagination
- Jeu théâtral
- Langage et vocabulaire

Matériel

- Couverture
- Un des livres préférés de votre enfant
- Accessoires et costumes pour les personnages choisis

Marche à suivre

1. Étendez une couverture au milieu de la pièce pour tenir lieu de scène.
2. Choisissez un des livres préférés de votre enfant comme Winnie l'Ourson ou Blanche-Neige et les sept nains.
3. Fabriquez des accessoires et des costumes pour les personnages de l'histoire.
4. Lisez l'histoire à votre enfant.
5. Sortez ensuite les accessoires et les costumes et déguisez-vous tous les deux.
6. Jouez l'histoire ensemble sur la couverture qui sert de scène.

Variante

Utilisez des poupées ou des marionnettes pour incarner les différents rôles au lieu de le faire vous-même.

Mise en garde

Si le jeu théâtral effraie votre enfant, rappelez-lui que vous faites semblant. Pour qu'il apprécie davantage le jeu, donnez-lui le choix d'incarner le personnage qu'il préfère.

Corde raide

Votre enfant marche sans difficulté à cet âge, mais vous pouvez le stimuler avec le jeu qui suit. Essayez-le aussi! Ce ne sera pas de tout repos, mais vous rigolerez.

Matériel

- Surface de plancher
- Ruban masque

Marche à suivre

1. Dégagez la pièce de manière à avoir beaucoup d'espace.
2. Tracez une ligne sur le plancher avec du ruban masque: commencez par une ligne droite, puis faites-la zigzaguer et terminez-la par une spirale.

Types d'apprentissage

- Équilibre et coordination
- Coordination visuo-motrice
- Motricité globale

3. Invitez votre enfant à marcher sur la corde raide. Essayez le premier. Attention de ne pas poser le pied à côté du ruban!
4. Laissez l'enfant essayer à son tour et voyez s'il a plus de facilité que vous à rester sur le ruban.

Variante

Faites serpenter le ruban dans toute la maison et même sur les meubles pour créer une course d'obstacles amusante. Essayez de marcher à reculons sur le ruban.

Mise en garde

N'entraînez pas votre enfant dans des endroits dangereux au moyen du ruban. S'il a du mal à conserver son équilibre et s'impatiente, faites courir le ruban le long d'un mur pour qu'il puisse s'y tenir.

Merveilles aquatiques

L'eau offre à votre enfant des possibilités de jeu à chaque étape de son développement. Comme les enfants ne se lassent jamais d'explorer les mystérieuses propriétés de l'eau, offrez au vôtre un monde de merveilles aquatiques.

Types d'apprentissage

- Créativité et imagination
- Exploration scientifique
- Motricité fine

Matériel

- Grand bac en plastique
- Jouets à manipuler dans l'eau : tasses à mesurer en plastique pour verser ; poire à jus pour remplir, presser et faire gicler ; passoire ou entonnoir pour tamiser ou canaliser ; paille pour souffler ; batteur à œufs pour mélanger ; louche pour remplir et verser ; assiettes en plastique à faire flotter, etc.

Variante

Ajoutez du bain moussant à l'eau pour agrémenter le jeu. Jouez aux Merveilles aquatiques dans la baignoire si vous préférez.

Mise en garde

Ne laissez jamais votre enfant seul quand il joue dans l'eau.

Marche à suivre

1. Placez un grand bac en plastique à l'extérieur et remplissez-le d'eau tiède.
2. Mettez-y divers objets comme ceux que nous suggérons ci-dessus.
3. Laissez votre enfant explorer l'eau au moyen des divers objets.
4. Lorsqu'il aura joué pendant quelque temps, montrez-lui comment se servir de chaque objet et multipliez ainsi ses possibilités de jeu.

Que s'est-il passé ?

Pour stimuler la faculté de raisonner et de résoudre des problèmes de votre enfant, jouez au jeu qui suit : ses réponses risquent fort de vous surprendre.

Matériel

- Image représentant une situation dramatique ou inspirante : chat escaladant un mur, bambin en pleurs, liquide renversé, enfant étonné, jouet cassé, pizza entamée, etc.
- Ciseaux
- Papier de bricolage
- Colle

Types d'apprentissage

- Cognition et réflexion
- Acquisition du langage
- Résolution de problèmes
- Interaction sociale

Marche à suivre

1. Trouvez des images de magazines représentant une situation dramatique ou inspirante du genre de celles que nous suggérons ci-dessus.
2. Découpez les images et collez-les sur des feuilles de papier de bricolage pour qu'elles soient faciles à examiner et à manipuler.
3. Asseyez-vous par terre avec votre enfant et montrez-lui une des images.
4. Demandez-lui : «Que s'est-il passé ?» en arborant un air perplexe et en haussant les sourcils.
5. Donnez-lui le temps de réfléchir et de trouver une réponse. Mettez-le sur la piste au besoin.
6. Lorsqu'il aura saisi le nœud du problème, passez à l'image suivante.

Variante

Une fois le problème identifié, demandez à l'enfant de vous aider à le résoudre. Par exemple, si un chat est coincé dans un arbre, dites : «Que devrions-nous faire ?»

Mise en garde

Évitez les images trop compliquées ou qui risquent de bouleverser l'enfant. Le jeu doit demeurer léger et amusant.

INDEX

TABLE DES MATIÈRES

LES ÉDITIONS DE L'HOMME

BEAUX LIVRES

Histoire et patrimoine

Ici Radio-Canada – 50 ans de télévision française, SRC et Jean-François Beauchemin
Intérieurs québécois, Yves Laframboise
L'île d'Orléans, Michel Lessard
Les jardins de Métis, Alexander Reford et Louise Tanguay
La maison au Québec, Yves Laframboise
Meubles anciens du Québec, Michel Lessard
Montréal au XXe siècle — regards de photographes, Collectif dirigé par Michel Lessard
Montréal, métropole du Québec, Michel Lessard
Québec, ville du Patrimoine mondial, Michel Lessard
Reford Gardens, Alexander Reford et Louise Tanguay
Sainte-Foy – L'art de vivre en banlieue au Québec, M. Lessard, J.-M. Lebel et C. Fortin
Syrie, terre de civilisations, Michel Fortin

Tourisme et nature

Circuits pittoresques du Québec, Yves Laframboise
Far North, Patrice Halley
La Gaspésie, Paul Laramée et Marie-José Auclair
Grand Nord, Patrice Halley
I am Montréal, Louise Larivière et Jean-Eudes Schurr
Je suis Montréal, Louise Larivière et Jean-Eudes Schurr
Montréal — les lumières de ma ville, Yves Marcoux et Jacques Pharand
Montreal, the lights of my city, Jacques Pharand et Yves Marcoux
Old Québec city of snow, M. Lessard, G. Pellerin et C. Huot
Le Québec — 40 sites incontournables, H. Dorion, Y. Laframboise et P. Lahoud
Quebec a land of contrasts, C. Éthier, M. Provost et Y. Marcoux
Quebec, city of light, Michel Lessard et Claudel Huot
Québec from the air, Pierre Lahoud et Henri Dorion
Québec terre de contrastes, C. Éthier, M. Provost et Y. Marcoux
Québec, ville de lumière, Michel Lessard et Claudel Huot
Le Québec vu du ciel, Pierre Lahoud et Henri Dorion
Rivières du Québec, Annie Mercier et Jean-François Hamel
Le Saint-Laurent : beautés sauvages du grand fleuve, Jean-François Hamel et Annie Mercier
Les sentinelles du Saint-Laurent, Patrice Halley
Sentinels of the St. Lawrence, Patrice Halley
Le Vieux-Québec sous la neige, M. Lessard, G. Pellerin et C. Huot
Villages pittoresques du Québec, Yves Laframboise

Beaux-arts

L'affiche au Québec — Des origines à nos jours, Marc H. Choko
La collection Lavalin du musée d'art contemporain de Montréal, Collectif dirigé par Josée Bélisle
Le design au Québec, M. H. Choko, P. Bourassa et G. Baril
Les estampes de Betty Godwin, Rosemarie L. Tovell
Flora, Louise Tanguay
Miyuki Tanobe, Robert Bernier
Natura, Louise Tanguay
La palette sauvage d'Audubon — Mosaïque d'oiseaux, David M. Lank
La peinture au Québec depuis les années 1960, Robert Bernier
Riopelle, Robert Bernier
Suzor-Coté – Light and Matter, Laurier Lacroix
Suzor-Coté – Lumière et matière, Laurier Lacroix
Un siècle de peinture au Québec, Robert Bernier

Sports et loisirs

La glorieuse histoire des Canadiens, Pierre Bruneau et Léandre Normand
Guide des voitures anciennes tome 1, J. Gagnon et C. Vincent
Martin Brodeur – Le plaisir de jouer, Denis Brodeur et Daniel Daignault

Tradition

À la rencontre des grands maîtres, Josette Normandeau

GUIDES ANNUELS

L'annuel de l'automobile

L'annuel de l'automobile 2005, M. Crépault, B. Charette et collaborateurs

Le guide du vin

Le guide du vin 2003, Michel Phaneuf
Le guide du vin 2004, Michel Phaneuf
Le guide du vin 2005, Michel Phaneuf

FAITS ET GENS

Documents et essais

À la belle époque des tramways, Jacques Pharand
Enquête sur les services secrets, Normand Lester
L'histoire des Molson, Karen Molson
Les insolences du frère Untel, Jean-Paul Desbiens
Les liens du sang, Antonio Nicaso et Lee Lamothe
Marcel Tessier raconte...tome I, Marcel Tessier
Marcel Tessier raconte...tome 2, Marcel, Tessier
Option Québec, René Lévesque
Le rapport Popcorn, Faith Popcorn
Terreur froide, Stewart Bell

Récits et témoignages

Les affamées – Regards sur l'anorexie, Annie Loiselle
Aller-retour au pays de la folie, S. Cailloux-Cohen et Luc Vigneault
Les diamants de l'enfer, André Couture et Raymond Clément
Gilles Prégent, otage des guérilleros, Benoît Lavoie et Gilles Prégent
Prisonnier à Bangkok, Alain Olivier et Normand Lester
Qui a peur d'Alexander Lowen ?, Édith Fournier
La route des Hells, Julian Sher et William Marsden
Sale job – Un ex-motard parle, Peter Paradis
Le secret de Blanche, Blanche Landry
Se guérir autrement c'est possible, Marie Lise Labonté
La tortue sur le dos, Annick Loupias

Achevé d'imprimer au Canada
sur les presses des Imprimeries Transcontinental Inc.